兎の島

エルビラ・ナバロ

宮﨑真紀 訳

国書刊行会

LA ISLA DE LOS CONEJOS

ELVIRA NAVARRO

translated by Maki Miyazaki

兎の島　目次

兎の島

ヘラルドの手紙

Las cartas de Gerardo

ｉＰｏｄでスティーヴィー・ワンダーを聴きながら、わたしはバスに乗っている。ヘラルドはいらいらしている。『それはあなた《イッツ・ユー》』という曲があって、ヘラルドのことを頭から締め出すため、全力であなたのことを思い出している。どうしてわたしはここにいて、行きたくもない旅に出かけようとしているのだろう。あなたは今どこ？　彼のいる前であなたから電話がかかってくるのが怖くて、携帯の電源を切ってある。ヘラルドはわたしが遅れてきたことにさっきから腹を立てていた。わざわざバスターミナルの外までわたしが現れないか見に行き、彼女は今、別の通りで信号が青になるのを待っています、と運転手に報告していた。「もう置いていきましょう、と運転手に言うところだったんだぞ」

まだ雨が降っている。ヘラルドはわたしの手を取った。「この旅のあいだは喧嘩をしたくないんだ」わたしはヘッドホンをはずして、何、もう一度言ってと告げる。彼はむっとしたようだったが、わたしのせいで彼がいらつこうが平気だ。彼はわたしを信じたいのだ。あとになって自分の意地悪さを後悔したけれど、すぐに自分に言い聞かせる。そうさせているのは彼のほうよ。それに、彼の手が重い。彼はわたしを押さえつけている。あなたのことを考え、こんな旅に出るはめになった自分の臆病さについて考え、またいらだちの波が押し寄せてくる。彼の重みで自分が爆発する前に、自由にならなければ。肩にもたれかかってくる頭を押しのけるのだ。わたしはヘラルドの頭を乱暴に押しやり、背筋を伸ばして、リュックの中の本を探すふりをする。

なんだか気の毒になる。彼は本当にわたしが何か探していると思っている。霧雨の中で待っていたせいで体が濡れ、震えながらひどく寄る辺ない表情で辛抱強くわたしを見ている彼。それでわたしも冷静になる。たった二日だ。二日我慢すればそれで終わる。

宿はタラベラから三キロほどのところにある。わたしたちはタクシーでそこへ向かう。フロントには誰もおらず、開いたドアの向こうからテレビの音と画面のちらちらする光が漏れている。「こんにちは」ソファーにだらしなく座り、うとうとしていた小男が体を起こす。何も言わず、にこりともせずに、こちらに近づいてくる。小人症ではなさそうだが、小柄なわたしより背が低いその男が、わたしたちをロビーに案内する。ぺしゃんこで、どこか横柄な顔をしている。髪は脂じみ、擦り切れたジーンズとザクロ色のジャージは不潔で、指の爪は黒く汚れ、獣のようだ。「部屋を一つ予約したんですが」「ヘラルド・デ・パコさんですか」「はい」「身分証をお願いします」洞窟の奥から響くような、秘密の匂いがする声。小男は、わたしたちの部屋の鍵を持って階段へ向かう。わたしたちもそのあとに続く。四階の部屋だ。白い廊下には天井から裸電球が下がっている。男は鍵を鍵穴に挿し込む。広い部屋だが、洗面台さえない。ヘラルドはわたしの様子をうかがっている。当然拒絶反応を示すだろうと思いながらこちらを眺めている。それだけわたしをよく知っているのだ。とてもよく。

ドアが閉まる。わたしにわかっているのは、自分は今ヘラルドとこの部屋に二人きりで、リュックの荷解きもまだで、外では夜が息づいているということだけ。小さな窓の向こう側にある外。窓は緑色の網戸で塞がれ、閉め切られ、密閉されている。

「で、どうだ？」

「ちょっと汚い」わたしは言った。

「十ユーロじゃ贅沢は言えない」

ヘラルドはリュックを開けて古いラジオを取り出し、アノラックを脱ぐ。彼の動きはいかにも無駄がなく、非難めいている。マリファナをくわえ、耳の遠い老人向けの音量でスポーツ番組を流しながら、片方のベッドにゆったりと座って、どんなことでも勝手がわかっているというところを披露する。さっき自分のリュックにかがみ込んだときと同じく――荷物は完璧にすべてが揃い、しかも必要なものしかない。言うまでもなく、そのリュック自体もそうだ。これ見よがしにブランドを見せつけるのは嫌いだから値段が安いし、まさに人生最高の買い物と言ってもいい。腰と背中に重さを分散させられるので背負ってもすごく軽いし、ポケットがたくさんあって、ベルトで寝袋を三つもくくりつけられる。わたしのとは大違いだ。こんなのリュックとも呼べない、〈エル・コルテ・イングレス〉百貨店で買ったスポーツ仕様のナップサックみたいなもので、しかもけっこういい値段だったし、実用性に欠け、まさに愚の骨頂……などなど並べればキリがない――そうしてその垢じみた髪の毛だらけの格子柄の毛布に平気で尻と腿をのせてベッドに座って見せていること、ただそれだけでわたしを責め、わたしはため息をついて思案し、垢じみた髪の毛だらけの毛布の臭いを嗅ぐ。

「食事に行かないの？」

「何かまだ残っているかどうか訊いてみよう」ヘラルドはそう言って、わたしにマリファナを差し出す。わたしは断る。「これを吸い終わるまで待ってくれ」

「あんまりぐずぐずしてると、何も用意してもらえなくなっちゃうよ」

彼はしぶしぶ、テレビのある広い娯楽室へ向かうわたしについてくる。この二か月、食欲がないのだという。わたしに話を聞かされてから、何も食べる気がしないらしい。小男はソファーで眠っている。声をかけたのはヘラルドだ。

「すみません、サンドイッチか何か作ってもらえますか？　いえ、何でもいいんですが」

小男はぎらりと光る眼で暗がりからこちらをじろじろ眺める。まるで今の言葉が聞こえておらず、わたしたちを幽霊か何かだと思っているかのようだ。

「少々お待ちを」と言う。

まもなく男はしかめっ面で、わたしたちを食堂に案内する。テレビ室の隣にあり、同じくらいの広さだ。部屋の突き当たりにてかてかした金属製のカウンターがあり、左端に山積みになっているトレーをその上に滑らせて料理を受け取るらしい。小男はわたしたちにテーブルを示し、自分は厨房に入って、盛り合わせのプレートを持って戻ってくる。インゲン豆のニンニクソース和え、細いソーセージ《サルチチャ》、干からびたジャガイモのオムレツ《トルティーリャ》。緑のギンガムチェックのテーブルクロスはトマトソースで汚れている。フォークやナイフにも食べ物の汚れがへばりついている。わたしは食べ始める。小男は姿を消す。

「悪くないよな？」

わたしは肩をすくめる。むかつく、と本当は言いたかった。ヘラルドはくり返す。

「十ユーロじゃ贅沢は言えない」

わたしたちはまた部屋に戻り、わたしは椅子に座って彼を眺める。生真面目な顔をしている。耳たぶが頬骨まで垂れ下がり、少なくとも重さ七キロはありそうだ。灰皿にあったマリファナの吸いさしを手に取り、また吸い始めていた。わたしは彼に告げる。

「好きなことしてて。わたしは宿の中をひとまわりしてくる」

ドアを開けたとき、リュックをちらりと見る。電源を切った携帯電話が覗いている。わたしがそれを一瞥したのを見て、ヘラルドは妙だと思ったに違いない。それでもわたしは廊下に出る。廊下は二方向に続いている。一方の先には階段があり、もう一方は赤いドアが並ぶいくつかの狭い廊下にさらに分かれている。いちばん奥に、スツールに座っているバスローブ姿の女の子がいる。とても若い子だ。「宿題やった?」部屋の一つから出てきた若者が尋ねる。「まだ」彼女が答える。バスローブの裾が腿まで開き、つやつやした真珠のような脚が見えている。そこに三人目の若者が加わり、大学入試の数学の問題について話し始める。高校生だな、とわたしは思う。学期中、この宿に泊まって通学しているのだ。たぶんグレドス山地の子たちだろう。三人がこちらをじろじろ見ているのでいたたまれなくなり、彼らの口が次々に発し始めた言葉が蜘蛛の糸になる前にわたしは立ち去る。廊下と赤いドアの迷路を抜けて、階段を下りる。テレビ室はひとけがなく、真っ暗だ。灯りをつけると、有名人で壁一面が埋め尽くされている。空虚を恐れて文様で執拗に空間を埋める空間畏怖《ホラー・ヴァキュイ》さながらだ。大型ポスターもあるが、絵葉書や雑誌の切り抜きもある。エヴァ・ガードナー、ハンフリー・ボガート、ヴィヴィアン・リー、マリリン・モンロー、サラ・モンティエルの顔がわかる。テレビの上方にはニュー・キッズ・オン・ザ・ブロックがすっくと立ち、窓ガラスを覆っているアレハンドロ・サンスとスパイス・ガールズがわたしに微笑みかける。

「この場所、気に入ってるんだな」部屋の奥からヘラルドの声がして、そのとき初めてあたりにマリファナの匂いとべたべたした腐臭がたちこめていることに気づく。

ヘラルドの声だと思うけれど、ビニールレザーのソファーのあいだに今もうずくまり、獲物が来るのを待ち伏せしている小男だったのかもしれない。

わたしたちは部屋に戻り、そこではわたしの携帯電話も無言でこちらをうかがっている。わたしは携帯の電源を入れる。

「誰かの電話を待ってるのか」ヘラルドが尋ねる。

彼の声は震え、息苦しそうに呼吸する。

「べつに」

「どうして電源を切った？」

「バッテリーが減らないようによ」

「関係を断《た》ったと言ったよな。電話でさえもう話してないと」

「失礼」わたしは囁く。

歯ブラシを持って、浴室に向かう。要注意なメッセージは全部消しておいたとはいえ、携帯電話がやはり心配だ。戻ったとき、携帯電話はさっきと同じ場所にあったけれど、ヘラルドが浴室に行くあいだに、本当に何もばれていないことを確認するまで、安心はできない。

自分のベッドに、垢じみた髪の毛だらけの毛布の上に座って待つ。ヘラルドが濡れた化粧ポーチを持って戻る。彼の能率第一な態度はすでにどこかに消えていた。わたしの携帯電話に飛びつくと、躍起になってあちこち探りを入れる。彼が不在着信、わたしがかけた電話、メッセージを確認していくのを眺める。わたしもだんだん腹が立ってくる。彼はとうとう電話を小テーブルに置き、恥じ入るようにわたしを見る。

「暗証番号を変えたほうがいいぞ。悪かった」

「いいのよ」

「悪かった」

彼はベッドヘッドに頭をもたせかけ、ヘッドホンをつけて、煙草を吸い始める。わたしは服を脱ぎ、シーツのあいだに潜り込む。

「灯りを消して」と言う。

計算すると、午前二時頃のはずだ。まるで眠れない。彼と別れる戦略を立てようとする。明日か、あるいはたぶん日曜日、マドリードに戻ってから説明するのだ。二人の関係を終わらせなきゃ、わたしは別れたいし、この旅行に来たのもおしまいにするためだった、だってあなたのこともう何とも思ってないから。でも、それができない。ヘラルドの苦悩がまとわりついてきて、体が動かないのだ。

二年ほど前、わたしが仕事でブリュッセルに行かなければならなくなって、六か月間離れ離れになり、そのあいだわたしはヘラルドに長い手紙を何通も書いた(当時はまだ、電子メールには、手紙につきものの〝もどかしさ〟がないと考えていた)。でも、そこにわたしが書いたことについて、彼は一度も何も口にしなかった。まるで全然別の言葉が、嫉妬のひと言ではとても片づけられないような気持ちにさせる言葉が、そこに書いてあったかのように。だけど、そんなふうに考えることこそが彼の嫉妬心を焚きつけ、わたしはその妙にねじくれた嫉妬心に心を削られた。ゆくゆく二人の関係がだめになったら悪いのはわたしだと言われているみたいだった。初めのうちは、気にせず手紙を書き続けた。やがて、電話で話すときの彼の感情のこもらない声や、手紙に対する沈黙が積もり積もって、わたしは手紙を書くことに罪悪感を覚え始めた。べつに疑いを呼ぶようなことは何も書いていないのに、散歩についての他愛ない描写が、彼に知られたら別れを切り出されかねない後ろめたい出来事を覆い隠すカムフラージュみたいに見えた。

この部屋の、この廊下の、この宿の沈黙は、わたしの手紙へのヘラルドの沈黙だ。わたしが彼に何を言っても同じなのだ。そこに存在するのは彼の執着だけで、わたしが何をしてもその執着は募る。ほかのことに触れないために毛布の髪の毛について喋る、みたいにわたしはふるまう。とはいえ、彼が嫉妬しても当然な今の状況でも、彼のことを裏切っていなかったブリュッセルに住んでいたときと結果は同じ。実際に起きていることは意味がない、あるいは意味があるとすれば、結局彼が心配していたことが現実になるというただその一点で意味がある。そして今こうしてシーツの下で、この沈黙を延々と引き延ばす彼の欲望を、わたしの口をこじ開けようとする淫らなまさぐりを、この身にいやでも感じている。わたしがいったいどれだけの夜、彼が黙り、終わるのがただ嬉しくて、彼が眠るのを待ち望んだか。そのとき、ベッドに何気なく投げ出された自分の脚の緊張がほぐれ、呼吸が穏やかになるのを感じ、奇跡的に眠りが訪れて、ヘラルドの視線を感じずに自分らしく生き、行動できるようになる。

曇り空だ。緑色の網戸から差し込む光からそう推測するほかない。フロントに下り、タラベラに行くにはどうすればいいか尋ねると、十分待ってもらえれば送りますよ、と小男が言う。そして十分後、まだ真新しく見える白いシトロエンC15が現れる。わたしたちは、冷えた後部座席に乗り込む。小男はドアを閉めようとしない。やがてヘラルドが尋ねる。

「誰かほかにも待っているんですか？」

「いや」男は答える。

それでも小男は動こうとせず、ワゴン車のドアは開け放たれたままだ。

「できるだけ早くタラベラに行きたいんです。朝食もまだなので」わたしが言う。

「自動販売機でコーヒーを飲むことだってできたんだ。さもなきゃ、もっと早く起きればいい。ここでは朝食は十一時までなんだ」小男は答える。

小男がすばやい三つの動作でドアを閉めると、ヘラルドが「何なんだ？　こいつ馬鹿じゃないのか？」と囁き、わたしは彼の腕に触れて落ち着かせようとする。ここで言い争いは避けたい。ヘラルドと喧嘩になったら、この小男は怒って乱暴に運転しそうな気がする。幹線道路じゃない道を移動するのが、じつは恐ろしい。いつもいやな予感がして、何か甲高い音を聞くたびに、タイヤがきしんでドスンと何かにぶつかり、人々の体が宙に投げ出されるシーンが思い浮かぶ。そんなだから、車に乗り込むときは、毎回死ぬ覚悟をするほどだ。ところが小男はごくゆっくりと運転し、むしろそののろのろぶりのほうに胃が締めつけられる。急に、車の速度をもっと上げて、わたしの恐怖を煽ってほしくなる。もはやそれは恐怖ではなく、速さに身をまかせたい、ワゴン車が何かに激突しようと何をしようとかまわないと思う、奇妙な快感に変わっている。タラベラに到着すると、わたしたちは小ぶりのバゲットサンド《ボカタ》を食べ、陶器博物館を訪ねる。それから、起伏の多い、路地がどこまでも続く、凍てついたその町をしばらく散策する。ヒッチハイクで宿に帰ったけれど、部屋に戻るかと思うとぞっとしたので、暗くなるまであたりを歩きたいと言い張る。並行する二本の道が宿を挟んでいて、そのあいだに一キロほど続く荒れ野がある。あの道を歩こうと提案したのに、もう時間が遅いよとヘラルドは言う。

「近くの荒れ野を探索するほうがいい」わたしはうなずくものの、ここから見えないところへ行ってみたいという思いは消えない。その向こうに何があるか知りたいと願う、その気持ちがわたしを急かす。どこかに行かなければならないのに時間に遅れてしまう、そんなあせり。まっすぐ進んだが、すっかり暗くなったので、宿の灯りと行き交う車のライトを頼りに引き返す。自分が履いているスニーカーさえ見えず、地面をじっと見つめていると、今にも穴に転げ落ちるか、蠍《さそり》の巣でも踏んづけるかしそうで不安になる。ただ歩いているのではなく、足が鉤爪みたいに地面にしがみついている。バスケットボールのコートにたどり着いたとき、わたしはヘラルドに、腹筋運動がしたいから足首を押さえてほしいと頼む。地面が冷え切っていて、手足を曲げ伸ばしするのに苦労したうえ、ヘラルドがわたしにかがみ込んで、膝に彼の頭がかすめるのがだんだんいやになり、動きを止める。わたしはなんだかばかばかしくなる。カップルというのはこんなふうに、一方が一方の趣味に付き合うものなのだと思う。幸せな恋愛関係にはそういうお務めがつきものであり、特別な存在とは、こちらを愛し、こちらも相手を愛し、たとえばタラベラから三キロ離れたところにある夜九時の真っ暗なバスケットボール・コートで腹筋運動をする、というような、厳密に自分だけが大事にしていることとすべてをこころよく認めてくれる人ということだ。たぶん、そういうことにも、わたしが見失ってしまった何か美しさがあるのだろうし、ばかばかしく思うなんて、壊れたカップルだという証拠なのかもしれない。わたしとヘラルドみたいに。ヘラルドは、こんなこと誰もが自然に受け入れてるよ、君以外の誰もがね、とよく言う。わたしがこんなふうにいろいろな仮説を立てて彼に話すと、「君はどうかしてる」といつもすぐさま切り捨てられ、自分はやっぱりおかしいのだと思い、刺すような孤独を、本物の狂気さえ感じる。本当におかしいのかどうかはわからない。あるいは、ヘラルドこそが、わたしにそう信じさせているのか。彼と一緒にいると判断力を失う。ヘラルドが良識を不当に独占し、彼がいないとまともに生きていけないと思ってしまう。

食堂では、トレーが今しも片づけられようとしている。まだ十時にもなっていないというのに。ヘアネットをつけた年老いた女に、どうしてこんなに早く食堂を閉めるのかと尋ねると、もっと遅くに食事がしたいなら、ホテルにでも行きなと言われた。メニューはこうだ。腸詰めと煮たグリーンピース、完璧な楕円形をしたヒレ肉のパイ包み。でもその脂っこいパイ生地の中に隠れていたのは鶏の成型肉だ。わたしはグリーンピースだけを食べる。腸詰めと成型肉は同じ薄いピンク色をしている。「ヒレ肉が生焼けだ」とヘラルドが言う。別のテーブルで、昨夜の女の子が同年輩の若者たち七人とお喋りしている。学生はそれで全部なのだろう。全員食事を終え、今は煙草を吸いながら、プラスチックのコップに灰を落としている。最後に、残した料理に煙草を押しつけて消す。

「シャワーを浴びてくるわ」わたしは部屋に入るとヘラルドに告げる。

バスローブとスリッパを取り出し、部屋を出ようとしたところで、ヘラルドが言う。

「ここで脱いでいけばいい。さわらないと約束するからさ」

わたしは彼に背中を向けて服を脱ぐ。自分はここにいると訴えかける強いオーラを感じる。うなじに刺さる視線の重さでズボンが脚に絡まり、転んでしまう。立ち上がり、ブラとTシャツは身に着けたままバスローブを羽織って、部屋を出る。つっかえつっかえお湯が出るシャワーの下にわたしは長居し、しまいには指に皺が寄り、洗面台の鏡も今ではすっかり曇っている。シャワー室のドアを開けて、日の当たらない薄暗い場所によくいる黒い羽虫が飛びまわる中をうろうろする。ドアを開け閉めして、音で虫を追い払う。今では群れ全部が鏡のまわりでぶんぶん飛び、鏡からは滴が垂れている。そうこうするうちに足がすっかり冷え、もう一度シャワーを浴びることにする。ところがシャワー室の壁はすでに一面、虫がうじゃうじゃしていて、とても追い払う気になれない。結局部屋に戻ると、ヘラルドがジーンズを足首まで下ろしてマスターベーションをしている。こちらには目も向けない。急いで服を抱え、ドライヤーを電源から引っこ抜いて、彼が達する前に部屋を飛び出す。

浴室に避難することにする。今頃どこもかしこも虫に占領されているとは思うけれど。コンセントが見つからなかったらどうしよう、と心配になるが、そのときはテレビ室に行って髪を乾かせばいい。高校生たちがビニールレザーのソファーでくつろぎ、リアリティ番組『グラン・エルマノ 3』を観ているところを思い浮かべる。その番組を前にしている姿以外、彼らのことが何も想像できず、驚く。発想が貧困な理由を考え、今は気分が落ち込んでいるからよ、と自分に言い聞かせる。

せっかくテレビを楽しんでいる彼らに、ドライヤーでうるさくしてごめんねと、許しを請うのは気乗りがしないけれど、もう部屋には戻らないと決めたのだ。きっとヘラルドは、わたしはあの小男に切り刻まれて、外のプールのところにあるバーの冷凍庫に詰め込まれたのだと思うだろう。これはきっぱりと関係を終わらせる絶好のチャンスだ。朝六時、彼がまだ眠っているあいだに部屋に上がって荷物を取ってきたら、タクシーを呼ぼう。こんな別れ方をするなんて、ほかのカップルならありえないだろう。恋人が消えたと警察が呼ばれ、宿が家宅捜索を受けるかもしれない。でもヘラルドとわたしはおたがい突飛な行動に慣れている。一日じゅう木の枝からぶら下がって過ごしたいとわたしが言っても、彼は気にも留めないだろう。それもまた、一年ほど前までは、わたしが彼と別れようとは思わなかった理由の一つだ。わたしは平凡を嫌悪していて、ヘラルドといればどんな平凡からも自由になれる。彼は何もかもが極端で——極端な怒り、極端な考え、極端な不快感——ある意味、わたしは憤慨しどおしの毎日を送り、この憤慨がわたしをどこか別の場所へ、思いっきりどんと突き飛ばしてくれると思うのだ。

さいわい、浴室にコンセントが見つかる。櫛を持ってくるのを忘れたので、手で髪の絡まりを解こうとする。髪のごく表面と前髪を整えるだけでよしとする。タラベラは気候があまり乾燥しているとは言えないので、長い髪はまっすぐにはならない。でも、それはもしかするとタラベラの気候のせいじゃなく、この浴室の狭さや、下水管と湿地の臭いがするタイルの結露のせいかもしれない。ドレッドヘアもどきの髪は倍に爆発し、中に籠型《クリノリン》ペチコートでも入っているみたいだ。だけど、それよりわたしが気に入らないのは、睫毛用のビューラーも、目尻にラインを入れるための緑のペンシルもなく、もう少し見栄えをよくしたくてもそれができないことだ。そうすれば、わたしだって捨てたものじゃないと多少なりとも思えるのに。ドライヤーを持って浴室を出る。階段に向かう途中、部屋の前を通らなければならず、爪先立ちでそろそろと進む。ヘラルドはきっと聞き耳をたてていたのだろう、わたしが踊り場にたどり着くと掛け金がはずれる音がして、ドアが開く。わたしは駆けだし、フロントの前でやっと立ち止まる。妙にわくわくして、舞い上がっている。

「ナタリア?」三階上から声がする。

わたしは答えない。

「ナタリア、君だろう?」彼がくり返し、わたしの高揚感が悲しみに変わる。

足音をたてることも気にせず、歩きだす。下りてきた彼に、また逃げるところを見つかったとしても、もうかまわない。

テレビ室に向かったが、誰もいない。今日は土曜日だ。わたしとしたことが、高校生たちはタラベラに遊びに行ったのだとどうして思いつかなかったのか。歩いていったのかな、と考える。当然バイクなんて持っていないだろうし、せいぜい自転車で、見えない月のもと、側溝沿いを曲乗りでもしていったのかもしれない。部屋の隅でパソコンにつながれたルーターが点滅しており、なんとなく電子メールを確認したくなる。今日は一日アカウントを見ていないから、もしかすると大事なメールが来ているかもしれないと単純に思ったからだ。もちろん、あなたから何かメッセージがあるかも、とうっすら期待する気持ちもある。パソコンはなかなか立ち上がらず、あんまり寒いので、ドライヤーのスイッチを入れてキーボードに立てかけ、そうしながらヘラルドを罵倒する。同時に、自分の中に怒りが舞い戻ってきたことを喜ぶ。悩み始めたとたん、決心が揺らいだからだ。

受信トレーには、どうでもいいメールが四通入っている。しぶしぶ返事を出し、それからソファーを一つ引きずってきたあと、ドライヤーをテレビ用のコンセントタップに移し、脚に熱風を吹きかけながらテレビを観ることにする。ひどい寒さで、息が凍りつきそうだ。外のほうがここよりましで、宿の中だけが冷え切っているのかもしれない。窓ガラスがシンガーたちのポスターで覆われているので外壁がどこまで続いているかわからず、外に出て確かめてみたくなる。バスケットボール・コートをぶらぶらしてもいい。上着さえ羽織れば、ベンチに座って星を眺めることだってできるだろう。何かしなくては。左足の甲にドライヤーの風を当てながらこんなふうにビニールレザーの上で丸くなって待つだけでは、いつまで我慢できるかわからない。とはいえ、この隠れ場所を出れば、ヘラルドと出くわすことになる。なぜなら今廊下をうろうろ歩きまわっているのは彼であり、さらには、外に出て草っ原に座ってマリファナを吸い、青緑に濁ったプールの水に石を投げているのも彼だからだ。わたしはトランス脂肪酸についてのドキュメンタリーを観続け、番組が終わると、部屋を出る。さっきより少しだけ温まった気がする。

ショッピングセンター並みのまぶしい灯りがプール脇のバーで輝き、ヘラルドはあの小男と一緒にそこにいるとわかる。その光で、一人孤独に夜を楽しもうという目論見は脆くも砕け散った。ドアの向こう側に行けば、あれこれ質問攻めにされることはわかりきっている。服を着てこようと思うが、それではまるで今自分が素っ裸みたいだ。テレビ室で自分が考えたこと、したことが、すべて見抜かれているような気がして、着替えに行く気力が湧かない。テーブル席で、四人の高校生が小瓶のビールを飲んでいる。ヘラルドと小男もやはり飲んでいる。そのうえヘラルドはマリファナも吸っている。顔をしかめていて、会話に熱中しているようだ。それでもわたしにこう言わずにいられない。

「テレビは君だけのものじゃない。この子たちはたぶん映画が観たかったんだ」

学生たちは聞こえないふりをしている。目が充血しているのは、すでにヘラルドからマリファナをずいぶんもらったせいだろう。ドライヤーの騒音のおかげで、わたしはこの宿の夜の活動を遠巻きにしていられる。ここはまるで、ヘラルドもわたしもよく好んで行く裏町のようだ。ちょっと珍しい知識や経験が手に入る、不道徳と同義語と言ってもいい場所。何でも極端をめざすわたしたちの属するところ。緊張を解き、ここの日常にすんなりなじむため、ビールがほしい。その日常とやらも今夜だけのこと、今夜さえ乗り切れば、それで終わり。わたしが小男にマオウ・ビールの小瓶を頼むと、男は冷蔵庫を指さす。栓抜きが見当たらないが、尋ねずに、グラスやコーヒーカップ、ティースプーンが積まれているカウンターを自分で探す。ヘラルドが栓抜きを差し出す。

「ありがとう」わたしは告げる。

彼はそれには応えず、小男の言ったことにうなずいている。わたしはカウンターの後ろでビールを飲み、飲み終わると、もう一本取り出す。それからそこを出たが、何をしていいかわからない。バーにはドアが二つあり、一つはフロントに、もう一つは外につながっている。外に出られるドアが開いているのかどうか知らないが、鍵穴に鍵が挿し込まれている。近づいて、まわりに気づかれないようそっと押し込んでみる。そんなやさしいやり方ではドアはびくともせず、今度は鍵を右に左に無理やり回してみるが、そのせいで肌に鍵の跡が残る。高校生たちは喋っていないか、喋っているとしても囁き声らしく、バーの中はやけに静かで、ヘラルドと小男は舞台で演技をする二人の役者のように見え、そんな中でのわたしの奮闘ぶりは、さながらアトーチャ通りにある安食堂の女店員の病気に似ている。その女店員の病気とは、料理を出しながらずっと悪態をつき続けることだ。女店員は高らかに歌うように悪態をつき、客たちが喋っていると彼女の音楽と汚い言葉がそれを遮るので、客は大笑いすることもあるが、たいていは、どうしても静かにしていられないその哀れな店員に嫌な顔をする。女は、それはそれとして悪態の合間に普通の会話もして、誰も怒らせないように努力している。いや、べつに努力をする必要もないのかもしれない。なぜなら、悪態をつく声は普通の会話のときとはまるで違っていて、まるで喉に悪魔でも巣食っているかのようだからだ。なんとかドアが開き、二度と中に戻る勇気は出ないだろうと思いながら外に出る。目にも止まらぬ速さでビールを飲み、一刻も早くアルコールがもたらす気持ちよく何でも受け入れる自分になろうとする。そうすれば、ヘラルドの前でも小男の前でも、もちろん高校生の前だって、平気で通ることができる。もう今となっては、受け入れてもらうために卑下しようとする自分の傾向を止められそうにないし、そしてまた、こうして無理にでも酒を飲み、酔っぱらえばくつろげると信じることで、ヘラルドに屈服してしまいたい、彼の目を通して世界を見たい、というわたしの内なる願いを隠そうとしているのかもしれない。わたしは、小男がこちらを睨みつけているのに気づく。わたしが恋人に寄り添おうとしないことが不満らしい。すごく馬が合う、意外なほど自分をちやほやしてくれるこの男の恋人として、その態度はどうか、と。わたしは外階段に腰を下ろし、トラックがときおり孤独に走り過ぎるのを眺める。ここは、最初に思ったようなプールサイド・バーではなく、ロードサイド・カジノなのだ。もっとも、今はもう営業をしておらず、学生たちの憩いの場になっているらしい。

わたしはビール二本分の酔いがまわっているのを感じながら三本目を取りに行き、こっそりカウンターに滑り込む。栓抜きを持っているのはわたしだが、彼らにはもう無用になっている。ヘラルド、小男、学生たちはすでにビールからジン・トニックに移っていたからだ。学生たちが少し騒いでいる。場の空気が緩み、急に大声でとめどなく喋りだし、わたしはビリヤード台にもたれる。ドアを半分開けたままにしたので冷たい風が吹き込み、マリファナや煙草の煙がかき混ぜられて舞い上がり、つかのま天井で煙が小さなかたまりになって澱んでいたが、やがてぼやけて消える。小男はわたしを見ている。非難のまなざしはいつしか変化し、今では不快な欲望がねっとりと滴っている。きっとそれは、ラ・マンチャのスカーレット・ヨハンソンとでも呼びたい、タラベラの高校に通うあの女の子に対していつもは募らせている欲望だ。残念ながら、少女の陽気で残酷な無垢さは、この小男の好色さなど平気で撥ねつけるはずだ。わたしが顔をしかめてみせると、男は唇を指で触れて、こっそり情けない投げキスをした。劣等感の滲む、無分別なしぐさ。ヘラルドは小男の行動に気づき、迷っている。今彼と対立したら味方を失うことになるが、こうなっては黙ってはいられない。小男はすでに飲みすぎていて、ヘラルドの態度が変わったことに気づいていない。ヘラルドは小男に一発お見舞いしようと覚悟を決める。でも、じつのところ彼を待ちかまえているのはわたしとの対決だ。わたしはふいに立ち上がり、ビールを四本つかんで一触即発の緊張を緩めようとする。そして小男に言う。

「これ、わたしたちの勘定につけておいて」

小男は何かいやらしいことをぼそりと言い、わたしを指さして笑う。わたしたちはおやすみも告げずに立ち去る。

部屋に戻ると、わたしはうなじのもつれた髪に櫛を入れる。髪を梳かし終わるまでかなり時間がかかり、そのあいだにヘラルドはマオウの小瓶を開け、マリファナを一本吸い、浴室に歯を磨きに行く。戻ってきたとき、わたしは睫毛をカールさせている。彼は何も言わず、わたしたちを待ち受けていることのためにわたしがこんな時間にメイクを始めたことを理解しているようにさえ見える。そうして、わたしは発つのだと彼が理解し、わたしのほうもそう理解すると――というのも、最初は自分がなぜあせってドレッドヘアもどきを梳かしつけ、目にアイラインも入れて、見られる姿になった自分を鏡に映しているのか、わからなかったのだ――たちまち二人は憂鬱な気分に包まれる。時間は午前五時。わたしはヘラルドに、小男が怖いので一緒にフロントに来てほしいと頼む。わたしはタクシーを呼ぶ。バーには誰もおらず、ヘラルドが学生たちと一緒に吸っていたマリファナの匂いがする。タクシーは三十分で到着する。小男のと似た白のワゴン車で、正規の室内灯が装備されている。運転手は、わたしたちが家族の誰かを刺し殺されて、これから遺体の確認に行くところだとでもいうように、びくびくした様子でこちらを見ている。そして、男のほうはそこに残り、二人が幸運を祈り合って別れの挨拶をしているとわかると、とたんにほっとした表情になり、わたしも運転手が落ち着いてくれてよかったと思い始める。ふいに彼のふるまいがとても健全で、活き活きして見え、そういう人の運転でバスターミナルまで向かえることが嬉しくなる。前の晩と同じくらい真っ暗な今夜の道は、せいぜいセンターラインぐらいしか見えないのだから。

ストリキニーネ

Estricnina

I

彼女はフェリーを宇宙船になぞらえ、窓の形は何かの昆虫の目に似ていると考える。そのあと、今はまだ名前のない登場人物が甲板を歩きながらそう言うのを見る。人物は女性で、控えめで落ち着いた、分別のある冷たさを感じさせる。彼女は見ているものについてあれこれ推測していく。見ている対象もまた冷たく、白くて汚れた物質だ。湿った靴革や汗、フライドポテト、魚の匂いがうっすらする。

彼女は赤の他人であるかのように、三人称で語るつもりでいる。今想像したような穏やかな凍てつく空気の中にいたいし、自分も書くときはそういうトーンを求めている。新しい脳みそを訓練し、これから起きることに備えるには、それが最善の方法だと思える。

ふと不安になり、会話にすがろうとする。

彼女は老夫妻のほうに近づく。下唇がどうしても震えてしまう。耳たぶから下がった肢を二人に見られただろうか、と心配になる。そのあとカフェテリアに行く。横にはやけに色白で太鼓腹の四十がらみの男がいて、彼に全部話してしまいたくなる。彼女は髪を後ろでひとつに結び、カウンターに並ぶ酒瓶の後ろにある鏡に目を向ける。右耳に比べ、左耳の位置がかなり高い。高さの違いは一目瞭然なのに、男は気づいていないらしい。片耳が重く、数時間前から赤くなり始めている。

2

一年前にTという町を訪れたことを思い出す。ガイドに礼拝堂を案内してもらったあと、彼女たちは堤防に向かった。日差しが柔らかく、靄と混じり合っていた。午後のまだ早い時間だったはずで、春の気配が見え始めたばかりなのに、灼熱の真夏が近づいているような印象だった。

ガイドは彼女たちを、海岸沿いの南の城壁に連れていった。彼女は、缶ビールを口に運びながら海に入っていく外国人の海水浴客を見ていた。堤防の岩によじ登っている者もいた。堤防は、土色の要塞が建つ小島へ続く道になっている。要塞は平べったいので、海に土の塊が浮かんでいるかのようだった。でも彼女の目には、要塞でも土くれでもなく、町からひょっこり頭を出したイボに見えた。

3

とうとう下船する。航海のあいだ、ずっと雨が降っていた。一時間以上かかって税関を通過する。タクシーはほぼすべてが古いメルセデスで、湿った革の匂いがする。旧市街《メディーナ》の狭い通りを行くあいだ、渓谷の中にいるような感じがする。予約してあったのは、全盛期は一世紀以上前だったと思えるようなホテルだ。空を不穏な灰色の雲が覆っているせいで、まもなく夜を迎えるかという暗さだが、まだ午後三時だ。

湾に向かって開放されている中庭《パティオ》を通っていく。フロント係は彼女の耳をじろじろ見ている。人を小馬鹿にしたような口調で話しかけてくる。

ホテル内は薄暗い。彼女の部屋はツインで、毛布はみすぼらしく、壁に掛かった絨毯は、ホテルが建設された一八七〇年当時からそこにあったかのようなありさまだ。浴室だけが新しい。小説を書こうとする。でも、わずかばかりのメモをとることしかできず、それに番号を振る。嵐が去ってから通りに出て、市場《ソコ》に向かう。女たちが群れをなし、店主が鶏やヒヨコ豆、玉ねぎを手渡している。腹を裂かれた子羊の肉が、野菜くずや脂垢、臓物で汚れた石畳に、鼻をつんと刺す血の匂いを撒き散らしている。

布地やアルガン油の店が並ぶ地区にたどり着き、ヒジャブを買うことにする。店のひとつに入ってみる。飾り気のない店内には、胸も顔もない胸像がひしめいている。それは上半身だけのマネキン人形で、そこに色とりどりのスカーフが巻かれている。

黒いヒジャブにしようと思う。「ムスリムと結婚するのか」店の男の言葉は質問ではなく、断言だ。「俺はベルベル人だ」と続ける。彼女は答えず、男の前にスカーフを置く。男はすでに彼女の耳から下がる肢に気づいている。男は正面にある石鹸の店の店主と冗談を言い合っている。彼女はヒジャブをうまく身に着けることができず、値切りもせずに店をあとにする。

ホテルに戻る。今起きたことを小説にできそうな気がする。説明を、出来事の過程を残しておきたいと思う。でも何のために？　言葉だけではどうせ説明しきれないのに。鉛筆を手に持っていられない。耳たぶから下がるその三本目の肢が鉛筆を握っているかのようだ。何もかも、進展が速すぎる。

夜になって湾を眺めたとき、はるか遠い向こう岸の町の灯が見え、それまで気づかなかったことに驚く。激しい雨風が靄を吹き飛ばし、空気が澄んだおかげだ。数日先、いやもしかすると数か月先も、何がどうなるかわからないというのに、何も感じないし、不安さえない。自分の変身がどれくらい続くのか、見当もつかない。だが何より驚愕するのは、身近な人々のことを思い出すときでさえ、それが他人の記憶のように感じることだ。

4

彼女は午前十一時に目が覚める。耳が重く、ひどく痛む。体を動かすと、きしむ音がする。拒絶される感覚は、物のくっきりとした存在感のおかげで消える。まわりの物体はいっそう輝きを増し、でこぼこした感触を持ち、動き、昆虫たちの玉虫色の外皮で覆われているかのような感じだ。椅子は壁の絨毯とは違う匂いがする。匂いを一つひとつ嗅ぎ分ける。火薬、猫の毛、黒檀、タマリスク、ふけ、阿片、ストリキニーネ。

耳たぶの肢はもう胸の下まで垂れ下がっている。今や長さ二十センチ以上となり、先端に指が何本か生えだして、それぞれに小さな口まであり、蜘蛛のように蠢いている。机の前に座り、番号を振った貧相なメモを前にしたとき、くだんの指がボールペンをつかむ。肢はペタペタと音をたてる。粘液のようなものに覆われているからだ。さわってみる気にはならない。耳たぶが赤くなっている。毛細血管が鬱血しているのだ。メモの脇には落書きもあって、そちらに向かってボールペンを握った肢が動いていく。肢は落書きを続ける。何を一心不乱に書いているのか、彼女は理解しようとする。ボールペンを取り上げたら、肢は抵抗した。数本のゴムで髪にくくりつけると、さらに激しく逆らい始める。指のうめき声はシューシューという怒りの囁きと化し、肢が彼女の背中を叩く。とはいえそこにはためらいも見え、やがておとなしくなる。それが脇腹のあたりでぐったりするのがわかる。もしちょん切ってやったら？

携帯電話を確認する。母に電話をして、全部打ち明けたら？　番号を振った、意味のわからないこのメモはいったい何のためのもの？　すっかり巨大化した肢が郵便局まで這っていき、メモを封筒に入れるさまを想像する。さらに、腕が落書きをしたせいで余計に読めなくなったメモを、目の下に隈を作った母が解読しようとしている姿を想像する。

あらためて机の前に座る。壁にいくつも掛かっている絨毯の花模様や幾何学模様を見ていると、だんだん頭が麻痺していく。模様が動いているみたいな気がするけれど、それは結局のところ、古びた黴臭い絨毯の繊維に沿ってダニが蠢いているせいだ。無言の大群に耳をそばだて、動きの微妙な変化に目を凝らす。ダニは細かい繊維の中を飛び跳ね、ふと立ち止まっては走りだす。ミニチュアの鼠のように。長髪の中を移動する虱のように。彼女の目にはもはや色褪せているようには見えないそれらの絨毯の中には、七十年も前の、あるいは百年も前の埃が隠れている。それに、かつては砂漠の砂だった微粒子もある。名づけることさえできない太古の何かが息づいている。

翌日、肢はさらに十センチ伸びている。もうくくりつけることもできず、そのままスカーフ店に行くことにする。通りに出ると、あたりは光り輝いている。肢も、明るく陽気な朝を楽しむかのように揺れ動き、通行人は、西洋風でもアラブ風でもない着こなしの下のこんもりしたふくらみをじろじろ見る。

「スカーフを三枚ください」下手くそなフランス語で言う。

マネキンのほうが店主より現実感がある。彼女はもう肢を隠していない。店主は三本の指がどこかおずおずと自分のほうに伸びてくるのを見て、顔色を失い、悲鳴をあげながら店を飛び出す。彼女はそのあとを追う。店主を怖がらせたいわけではなく、ヒジャブの代金を払いたいだけなのだが、走るうちになぜ男を追っているのか忘れてしまう。ふいに男が獲物に見える。アラブ人店主はやせ型で、グレーハウンドのようだ。でも彼女の足はもっと速い。

兎の島

La isla de los Conejos

彼はカヌーを作ったので、グアダルキビル川で乗ってみようと思った。スポーツカヌーには興味はなかった。ずっと乗るつもりもなかった。グアダルキビル川の島々を探検したあとは、倉庫にしまい込むか、売っ払うかすることになるだろう。彼は発明家を名乗っていたが、彼の作るものは発明品と呼べるたぐいのものではなかった。それでも、自分で考えて作ったものはどれも発明品とみなしていた。仕様書やマニュアルをいっさい使わないからだ。すでにあるものを一から作るのに何が必要か、自分で見つけるのが彼のやり方だった。完成するまでには何か月もかかり、これこそが天職だと感じていた。発明されたものを発明するのだ。できあがったときの喜びは、週末になると山へ行き頂上まで登る山歩き愛好家のそれと似ていた。達成感というのは人それぞれで、じつに不思議なものだと彼は思った。似非《えせ》発明家は、日中は美術学校で教師を務め、その仕事に達成感を覚えたことはないが、彼の指導は学生たちに役立っていた。

子供の頃から、海に細く突き出した半島か、無人島に行ってみたかった。彼が十八歳のとき、両親にタバルカ島へ誘われたことがあった。あそこはきっと無人だ、というのだ。上陸したら手つかずの自然が楽しめるだろうと期待していたのに、質素な家々が並ぶ通りが七本もあり、城壁を備え、教会に灯台、ホテル二軒、それに小さな港もあった。たぶん両親は、夏休みを自分たちと過ごさせようとして——彼を家にひとりで残すのは忍びなかったから——タバルカ島には何もないなどと誇張したのだろう。とはいえ、そもそも〝無人の場所〟と言われて、それがどういうところなのか、両親には理解できたためしがないのだ。

グアダルキビル川の都市部流域にある中洲の数をかぞえるのは難しい。中には小さめの半島と勘違いされているものもある。九月のある朝、彼はカヌーを抱えて栈橋まで行き、水に浮かべた。何日かかけてカヌーがきちんと水を進むかどうか確かめ、操縦法を覚えたあと、探検を始めた。もう何週間も雨が降っていなかった。水量が減り、水が澱んで、悪臭が漂っていた。カヌーを岸に近づけることができず、不安と恐怖の入りまじった気持ちで島のまわりを巡った。すばやくカヌーを操作するには技量が足りないかもしれないし、岸辺は地面が柔らかく、滑ってカヌーだけどこかに流されてしまう恐れもある。そうなったら泳いで戻るのかと思うと、ぞっとした。瘴気を吸い込まないように唇をきつく結び、さまざまな自然が一気に目に飛び込んでくるのを見る。種々雑多な植物、虫の羽音、鳥の糞の層、泥。さぞ美しい眺めだろうと期待していたのに、そこにあるのは、留まっている鳥の重みのせい――あるいは何かの病気かもしれない――でよじれた樹木やら、虫の群れやら、汚物で腐りかけた灌木やらでしかなかった。

カヌーでうろうろし始めて五日目、川の湾曲部まで行ってみることにした。南に向かってカヌーを漕いでいくあいだ、田園のなだらかな丘がつねに目に入っていた。湾曲部では島々は小ぶりで、起伏が多く、虫刺され跡のように連なっていた。まわりを巡っていくのに苦労したが、最後の島にたどり着いたところで、葦のあいだに男の死体が浮かんでいるのを見つけた。パンツ一枚でうつ伏せに伸び、背中の皮膚のあちこちに手のひら大の水膨れができている。九月でも日差しがまだ強いので、日焼けによるものかもしれないし、水を吸いすぎてふやけたのかもしれない。川の水はひどい臭《にお》いだった。市民保護局に連絡すると、警官たちが大きなゴムボートに乗って現れたが、それでは葦をかき分けて進むことはできなかった。ゴムボートには小型のカヌーが装備されていて、太った警官がそれに乗り込もうとするあいだ、彼はゴムボートに近づき、もう行っていいかと許可を求めた。死体を引き上げるところは見たくなかった。ひっくり返したら、魚に食われた内臓がむき出しになっていたりするかと思うと、怖かった。

死体の一件があってから、何日も川には近づかなかった。それからようやく夕方に島の周囲を巡り始め、ある日、川の土手にいちばん近い島に思いきって上陸してみたあと、そこで暮らすことに決めた。大都市で暮らすのに飽き飽きしたんだ、と彼は心の中でつぶやき、誰もやったことがないことをやるのは胸が躍るとも思った。いずれも町を歩いているときにときどき頭に浮かぶ、よしなしごとにすぎなかったが、中心に向かって彼を引きずり込む螺旋運動さながら、頭から離れなくなった。実際、あんなに狭苦しくてむかむかするようなちっぽけな場所に住むなんて、町以上に居心地が悪いだろうし、そう決めた理由を説明しようにもできない。

川岸に最も近い島ではあったが、藪が密生しすぎていて内側が見えなかった。彼は島中心部の繁みを刈り込み、幹がロープみたいにひょろっとした木々を伐採した。こんなに痩せこけているのに、天辺では緑の葉をよくあんなにこんもりと茂らせることができるものだ。緑色の軍用テントではなく、赤いキャンプ用のテントを張ることにした。隙間ができないように注意したのに、目覚めたとき体じゅうが虫にたかられていて慌てるはめになった。高いところで寝れば、地面にひしめき合っている芋虫たちからは身を守れそうだと思う。やつらが大地を冒瀆するように半狂乱になって蠢いているのは、捕食者の到来に勘づいているせいらしい。鳥たちは難なく虫を捕えた。砂にくちばしを突っ込み、ほじくり出すのだ。いくら汲めども尽きせぬ食い物の泉、というわけだ。だが、鳥たちはこの芋虫ばかり食べるわけではない。体が水分だけでできているこいつらでは、たぶん栄養が不充分で、栄養豊富なもっと進化した虫を探さなければならない。ある午後、一匹つまんで調べてみた。手のひらに置くと、もぞもぞとひとりで身をよじった。人差し指で少し押しただけで、ミニサイズの風船のようにぱちんと破裂した。

島で毎晩眠りはしなかった。そんなことをしたら頭がどうかしていただろう。週に何度かそこで夜明けを迎えれば充分だった。グアダルキビル川にできた小さな染みのようなその島に泊まると、夜中はずっと頭の中で低い唸りが響いていた。梟《ふくろう》の襲撃でもない限り、夜のあいだ鳥たちは啼いたりしなかった。ただ、木から追い出されたものたちの羽ばたく音が聞こえてきただけだ。鳥はポプラの木にぎっしり密集していた。だから一羽が翼の下に頭を潜り込ませて胸をふくらませたりすると、枝の端にいたものたちは落下した。だが、彼を苦しめた低い唸りの原因は、寝ぼけた鳥が落ち際に必死にはばたく音ではなく、日没時に枝に自分の居場所を見つけようとする鳥たちがギャーギャー大騒ぎするせいだった。その争奪戦はじつに荒々しく、そのちっぽけな場所にいったい何羽ぐらい集まっているのか、見積ることさえできないくらいだった。たぶん数千羽はいたと思う。一時間ほど大声で啼き続けるので残響が頭の中に残って、たとえ音量を最大にしてヘッドホンで何か聴いても、唸りは消えない。やつらを追い払おうとしてテントの外に出て大声でわめいてみることさえしたが、群れは彼がそこにいることを気にも留めなかった。せいぜい大海に浮かぶひと切れの海藻みたいなものだ。鳥たちは、変な小鳥だとでも思ったかもしれない。彼は顔を歪め、喉がひりつくほど大声でわめき、正直言って認めたくはなかったが、そうして叫ぶことで、心の奥にあった何かを解放できた。ときには時間の感覚をなくし、すでに鳥たちはおとなしくなっているのに、夜中まで怒鳴り続けることもあった。そんなとき、川岸を散歩する数少ない通行人たちは、何かの獣の吠え声かと思い、島のほうを見たものだった。

鳥たちは、眠り、子を育て、死ぬために島に来る。どこもかしこも鳥の巣と糞だらけで、似非発明家が帰宅したときには、シャワーを浴びても糞の臭いが取れなかった。どうやら、その白い鳥は異常繁殖しているように見えた。桟橋で魚釣りをしていた老人が彼にそう言ったことがあった。あの鳥の名前は何ですか、と尋ねたが、老人も知らなかった。インターネットで検索しても見つからない。グアダルキビル川の動物相のガイドブックもざっと見てみたが、島の鳥はそこに描かれたサギ類のどれとも一致しなかった。それ以上はもう調べなかった。結局、鳥の種類がわかったところで、彼の決意が変わるわけではない。週に数日は、こちらをいつも無視し、彼がかっとなって手当たりしだいに石を投げようが平気な顔で眠っている鳥たちに、大声で吠えたてる人間に変身する。鳥どもは、彼が怒りにまかせて木の痩せこけた幹を揺さぶっても、こちらを見ようともしない。樹冠部はゆさゆさと揺れ、ときにはその動きがずいぶんと激しくなる。そうして枝が揺れるのは、聖週間の山車《だし》を担ぐ力自慢たちが島を肩に担いでいるせいではないか、そんな気がしてくる。

何週間か経つうちに、似非発明家は、こうして島を占拠することはけっして違法ではないのだと確信した。空き地で暮らすのに、どうして人の許可を取る必要がある？　ほかの島にいまだに誰も足を踏み入れようとしないのは不可解だったが、問題はそこではなかった。納得できないのは、人口三十万以上の都市の住民たちが島に関心を示さないことだ。そんなに大勢の人間がいるのに、目と鼻の先にある場所を訪問してみようと考えたのは、本当に自分だけなのか？

彼はキャンプ用のテントにお金を置きっぱなしにし、盗まれるかどうか確かめることにした。グアダルキビル川でカヌーに乗るような人たちが泥棒をする理由などないかもしれないが、獲物はいないか見張っている悪党だとか、札束を見つけたらくすねずにいられない腹を空かせたホームレスがいるに違いない。毎日確かめたが、五十ユーロは手つかずのままだった。結局誰も金を取らなかった。島に上陸した者はひとりもいないのだ。

すでに発明されているものを発明していないとき、似非発明家は、芸術とは呼べないようなインスタレーションを考案した。たとえばあるときには、前足を動かし、目を光らせながら吠える十個のおもちゃの犬から毛皮を剝いだ。それから毛皮の上に犬たちをのせて、兎の檻に入れ、遠隔操作でスイッチを入れられるようにした。友人たちが家に遊びに来たとき、スイッチのボタンを押した。すると皮を剝がれた十個のおもちゃの犬が、自分の毛皮のせいで後ろに足を滑らせ、目を黄色く光らせながら、ワンワンと吠えかかった。

友人たちは、動物愛護のキャンペーン活動か何かに売り込んだらどうかと勧めてくれたが、彼は肩をすくめた。これぐらいのアイデア、ほかの誰かがもう考えているんじゃないか？ 心の奥では、どこでかは思い出せないがどこかで見たことがあるから思いついたのだ、と考えていた。だから、自分の考えた作品を人が芸術だと言っても否定するのだ。表立って発表し、おまえの作品はただの猿真似だとはっきり指摘されるのが怖かった。なぜそう批判されることを恐れるのかわからない。しょせんオリジナリティなど信じていないし、どこでさまざまなアイデアを頭に取り込んだのか思い出せないにせよ、その点についてはずいぶん長いこと頭の中で議論してきたのだ。おもちゃの犬を詰め込んだ檻のほかに、彼が作った装置にはこんなものがある。食器棚の中の機械仕掛けの蚤のサーカス。パーティーのときに招待客の手のひらの上でスモークチーズを溶かすことができる、二台のアイロンでこしらえたホットサンドメーカー。それに、埃が二十年以上積もり積もった本の山。大事なのはこの埃で、ただの塵芥のかたまりのようにも見えるとはいえ、中に今は亡き親族たちの死んだ細胞が含まれているからだ。

鳥を追い払うために島に兎を放そうと思いついたのは、おもちゃの犬を入れたのが兎の檻だったせいだ。島で夜眠るのはもうやめようと決めた。叫ぶのは充分だった。キャンプ用のテントはまだ張っておいて、兎の様子を見たり、シエスタをしたりするのに使うことにした。秋も深まり、サマータイムも終わった。夕方四時にカヌーを漕いで川で涼むのも、あながち常識はずれなことではなくなった。日照りのせいで水量が少なく、夏みたいに臭うとはいえ。彼は雄を十羽、雌を十羽、合計二十羽の兎を買った。きっとあっという間に数が増え、たちまち島には食料がなくなるだろう。新たに島にやってきた獣たちは、食べるものがなくなれば、地上にある鳥の巣を襲うに違いないと似非発明家は考えた。島で子育てができないとなれば、鳥たちはよそへ移るはずだ。

兎は真っ白で、毛足が長く、目が赤かった。灰色や茶色のより高くついたが、鳥たちと同じ色でなければならないと思った。兎と共存することが島に住む自分なりの条件だ、と独りごちる。そのうち、兎たちがテントに入ってくるのを許すようになった。そこなら日差しを避けられるし、この土地は巣穴を作るのに適していないので、テントで過ごしたがるのだろう。兎たちはテントの中で、鼠みたいに毛のない子兎を産み始めた。

藪が食い尽くされると、鳥の巣の中の卵が消えだした。兎たちにとっては格別のごちそうらしく、青みがかった薄い殻を齧る権利をめぐって喧嘩が起きるのを一度ならず目撃した。しかし、雛については争うようなことはしなかった。生まれたばかりの子の肉を食べるとしても、それは意に反する悲しい行為で、彼らのささやかなおつむもそういう酷《むご》い状況に抵抗を示しているかのように見えた。兎というものは、人道主義にもとづいて行動すると一般に考えられていた。ほかならぬ彼というご主人様の倫理観である。だから彼は驚いたのだろう。当初はあれほどためらっていた兎たちが、やがて骨さえ残さず鳥の雛をたいらげるようになったのだ。どんな人間でも、さすがに骨は残したはずなのに。雛の喉に門歯でかぶりつき、ぴくぴくと震える鼻面や細い顎ひげを、目と同じ真紅に染めた。わずかな肉を食べ終わると、長い時間をかけて骨を齧った。そういうとき、枯れ枝が折れるような独特の音をたてた。嘴さえ貪り、すべてきれいにたいらげると、毛並みがまた白く輝くまで念入りに毛繕いをした。

祝宴が始まると、鳥たちはつらそうにガアガア啼きながら周囲を飛びまわった。そして、岩陰からわが子がまた姿を現すとでもいうのか、犯行現場で何時間も待った。それでも兎を攻撃しようとしないのが、似非発明家には不思議だった。その尖った嘴なら兎の目をほじくり出すことだって簡単にできそうなのに、そういう集団攻撃というのは彼らの本能にはない行動なのだろう。

そこで生まれた子兎たちは肉や骨以外のものをほとんど食べたことがなく、そういう不自然な状況が忌まわしい結果につながるとは、彼にも想定外だった。それだけ愚かなのか、あるいは大胆不敵なのか、もうしばらくのあいだ鳥たちは依然として島で巣をかけ続けていたが、とうとう巣が消え始めると、子兎の姿も見えなくなったことに似非発明家は気づいた。ある朝、その原因を目撃した。仲間たちが食っていたのだ。彼はその惨事にぞっとして、兎は人間の延長だという考えも捨てるしかなくなった。実際、鳥たちと同様、これは異常繁殖だと思えたが、それでもそうして彼らを観察しに島を訪れ続けるのは、兎をこんなに卑しい生き物に貶めてしまったのはほかならぬ自分だと感じていたからだった。

ある日、ためしに固形の飼料をやってみた。兎たちは匂いを嗅いだだけでそっぽを向き、すぐにどこか病的にも見える性急さで交尾を始めた。すでに連中は食べるために繁殖することを覚え、それが交尾の回数を増やした。必要に迫られてせっせと妊娠しているのだと似非発明家は思った。雌が出産するたび、みんなが腹を満たした。無言の出産が始まると、兎たちは今か今かと待った。その勢いで母親だって食ってやろうか、と考え始めたかのように。兎がもはや鳥の巣には興味を示さなくなったので、鳥たちはまた営巣を始めた。

キャンプ用のテントは岸辺から見えた。似非発明家としては、べつに気にしていなかった。この小島での彼のキャンプは、城壁にかかる橋の下のルーマニア人やホームレスたちの野営地とたいして変わらない。人に迷惑をかけなければ、そこで寝起きしても誰も何も言わなかった。彼の島は、川の向こう側にかすかに見える歴史的建造物群からは遠く離れている。そこは町境に面していて、新しいが醜いマンションのほか、ショッピングセンター、それと隣接する、重要な催しなどおこなわれたことのないスタジアムぐらいしかない。島にいると彼自身の姿も人から見え、散歩道から彼に挨拶し、カヌーに乗せてくれとねだる子供たちもいた。似非発明家は答えるかわりに頭を曖昧に振った。子供たちに注目されてまんざらでもなかったが、心配にもなった。兎のことを知られたくなかったからだ。じつは高いところからなら様子を眺めることができ、小さな白いボールがぶつかり合っているかのように見えた。夜は、月明かりが充分なら、つやつやした毛並みを羽根と見間違えて、鳥たちが地面で眠っていると思う者もいただろう。

兎はテントの外ではけっして子兎を食べなかった。自然の掟を犯していると自覚しているかのようだった。彼らが共食いする様子はいかにも卑しく、虫唾が走るとはいえ、おとなしくしているときには、どこか人を陶然とさせるがごとき威厳が漂い、それは時とともに増していき、すべては自然に反した行為と関係しているように思えた。もしかすると、彼らはすでに兎ではなくなってしまったのかもしれない。あるいは、兎族にとって過去に例のない次の段階に進もうとしているのか。ときどき似非発明家は、彼らがこれまでの彼らでなくなることが悲しくなり、やがて、かの生き物たちが子供を食いだした顚末を忘れた。それは原因などない純粋な事実であり、新世界を導く出来事なのだ。すべては無言のうちに起きつつあった。なぜなら、新たな一歩を踏み出したばかりの世界には、まだ言葉がなかったからだ。似非発明家は小島にただひたすら通い、カヌーに乗せてとせがむ子供たちには慎重に応じるだけだった。夜になると、祖母から相続した古い大きな屋敷で、子供らの親たちの夢を見、暴徒となって押しかけてくる彼らの声を聞いた。部屋には水があふれ、プールのような青に塗り込められていた。あの生き物たちを置いて立ち去ると決めたらすぐに消える、馬鹿げた妄想に取り憑かれているだけだ、と自分に言い聞かせる。ただ、兎たちのそばにいるとふいに頭がぼんやりして、いつしか四つん這いになっていることがあり、自分も彼らの一匹だと感じ始めているのかもしれなかった。たぶん、急に白いものが増えた髪は、やがては、今や聖なる存在である彼らのように美しい純白となり、眼医者によれば慢性の結膜炎のせいだというほんの少し充血した目も、完全に赤くなったときに完治するだろう。

そしてある日、似非発明家はキャンプ用のテントをたたみ、島に行くのをやめた。川岸のマンションの住民たちは、兎をせっせと育てていたあの頭のおかしなやつはどうしたんだろうと思った。兎たちは彼が姿を消してから数週間もすると死に絶え、その死体は白いきれいな毛布となって島を包んだ。

後戻り

Regresión

記憶がどっと甦る。タマラと彼女は十歳で、何階建てにもなった、両開きのドールハウスで遊んでいる。『ザ・コルビーズ』や『ファルコン・クレスト』みたいなアメリカのメロドラマごっこだ。どの一族のどの大豪邸を選ぶかは、くじ引きで決めた。そういう連続ドラマを観て覚えた、〈大豪邸《マンシオン》〉という仰々しい言葉をあえて使った。彼女の住む町では、それがどんなに立派な屋敷でも、自分の家をそんなふうに呼ぶ者は誰もいなかった。彼女たちは、『ザ・コルビーズ』や『ファルコン・クレスト』に出てくるようなマンシオンにほんのちょっぴりでも似たところのある家など、一度だって見たことはなかったが、大人になった自分を想像するときはいつも、湖のそばにある、葡萄畑に囲まれた美しい御殿の女主人だった。

また別の記憶が甦る。タマラに連れられて、彼女は〈しゃれこうべ《ラ・カラベラ》〉に向かっている。そこはとても背の高い木々の立ち並ぶ林で、中央は空き地になっており、ときどきホームレスの人たちが寝ていた。よく一緒に水風船合戦をする男の子たちから、ラ・カラベラには夜明けに首のない鳥が現れると聞かされ、兄さんたちの話では、そこで黒魔術がおこなわれているのだという。風船に水を満たそうかというときに、男の子たちから首のない鳥の話を聞いた日、タマラは大笑いして、男の子たちを馬鹿にした。それから彼女にこんな話を耳打ちした。あそこにいるのは首のない鳥じゃなくて、地球の中心からやってきた変な生き物で、そいつらは体をばらばらにされても生きていられるの。脚とか首とか胴体とか、それぞれ勝手にぴょんぴょん跳ねまわるんだよ。

　彼女たちが住んでいたのは、高級住宅街のエスプリウ地区と〈エル・カナル〉というとても古い一画の境界にある、公園の近くだった。エル・カナルは、海に続く悪臭芬々たる排水路で二分されていたが、どの役所もそれを覆い隠そうとしなかった。噂では、夏になると澱んでさらにひどくなる糞便臭と、今にも崩れそうな建物のみすぼらしさが、住民たちをそこから追い出してくれるのを待っているらしい。そうやってエル・カナルをつぶして、エスプリウ地区の目抜き通りを海岸まで拡張したいのだ。しかし結局のところ、住人が死んで空いた部屋は、ロマ人やヤク中たちに占拠されただけだった。当時はまだヤク中が大勢いたのだ。

　そしてまた別の記憶。タマラと一緒に彼女のばあちゃん《イアイア》の家に遊びに行った午後のことが甦る。タマラのおじいちゃんが、禿げ頭をキッパーで隠して、英語塾に通っていたタマラを毎日迎えに行くのを見かけた。彼女もタマラも宗教学校には行っていなかったのだが、あたしの家族、ユダヤ人なの、と告白されたときには変な感じがした。まるで、自分たちは人類ではない、とでも言われたみたいな衝撃だった。

おじいちゃんとは喋ったことさえあったが、おばあちゃんと会ったのはずっと後のことだ。タマラはおばあちゃんのことを敬意と神秘の毛布で包んでいた。「ほとんど動けないのに、椅子から立ち上がりもしないで、町いちばんのアロス・アル・オルノ〔パエーリャによく似たバレンシア料理〕を作るんだよ」おばあちゃんと昼食を食べるとき、タマラはそのことをいつも秘密にしていた。彼女がそう知ったのは、思いきって尋ねてみたからだ。タマラはとうとうぶっきらぼうに答えた。「じゃあ一緒にイアイアのうちに行こう。もし誰かにこのことを話したりしたら、殺すからね」彼女は口をつぐんでおいた。だって、友だちのおばあちゃんを訪ねることが、人にわざわざ話すような大層な秘密だとは思えなかったから。

友人はこそこそとイアイアの住む場所に彼女を連れていった。それがエル・カナルにある、壁の黒ずんだ古くてぼろぼろの建物だと知り、びっくりした。でもこの最初の印象は、腐った壁紙とは似合わない人工大理石の廊下の突き当たりにあったものを目にしたときの驚きとは比べものにならなかった。おばあちゃんが天井に浮かんでいたのだ。焦げた茄子の臭いがする丸々と太った老婆で、居間の隅のカーテンレールのあたりにずっと浮いていた。こちらに背を向けて、通りを眺めている。二人は静々と部屋を進み、イアイアの真下に立った。イアイアの腿にはたっぷり脂肪がついていて、床から見上げると、垂れ下がった肉しか見えなかった。足の裏はちっちゃくて完璧な形で、肉で押しつぶされた子供の足みたいだった。彼女は震えだし、タマラはそれでたぶん怒ったのだろう、吐き捨てるように何か挑発的なことを言ったあと、二人はおばあちゃんから目を離さずにじりじりと後ずさりして部屋を出た。部屋の真ん中あたりまで後退したとき、タマラが揺り椅子にぶつかった。おばあちゃんがこちらを振り返り、家具にでも向けるような冷ややかな目で二人を見た。タマラは顔を真っ赤にした。

その日の午後、二人で公園のベンチに座ると、イアイアは体の中にガスが溜まって浮いているのだとタマラは説明した。「地球の中心から来るガスよ」イアイアはあんなふうに浮かんだままで、いったいどうやって町いちばんのアロス・アル・オルノを作れるの、と訊きたかったけれど、どうしても訊けなかった。もしかすると台所を天井に持ち上げてあるのかも。家のほかの部分も案内してとタマラにお願いしなかったことを悔やんだが、その一方で、どこもかしこもひどく汚れ、塩干し《モハマ》マグロの臭いがたち込めたあの場所に、あれ以上とどまる気がしなかったことも確かだった。

どうしてずっと忘れていたのだろう？　現実すべてを疑わせるような、自分の世界がまったく別の世界に置き換わってしまったかのようなあんな経験をしたのに。あまりにも現実離れしていたので、夢だと思い込んだのかもしれない。意外すぎて、頭の中でうまく処理できなかった可能性もある。おばあちゃんの家を訪ねたあとの毎日について思い出すのは、痛みだけだ。心に秘めた残酷な痛み。翌日、スクールバスに乗り込むと、タマラはもうファアナと一緒に座っていた。友人はこちらを見もしなかった。不潔でがりがりなファアナは、噂話をでっち上げて仲間はずれにされないようにしているような子で、こちらを見てにやりと笑った。彼女は自分の席から二人をこっそり盗み見ていたが、その意地悪な子から睨み返された。タマラに選ばれただけでは満足せずに、自分の勝利を見せつけようとしているかのようだ。手のひらを返したような友人の態度が信じられなかった。だったらわたしにだって、何もなかったかのように話しかける権利はあるはずだ、と思った。休み時間になっても、タマラは彼女に声もかけなかったばかりか、ほかの女の子たちとべったりくっついて、おやつのチョコレートクロワッサンを分け合っていた。でも、見せしめとしてはもう充分だったはずなのに、それだけではすまなかったのだ。彼女は、タマラは思い違いをしているとばかりに、行動に出た。ほかの子たちはわたしたちの仲を裂こうとしてるって、気づかない？　女子の一団がチョコ入りクロワッサンを頬張っている姿を見せつけられている、それだけで、タマラを彼女たちから引き離す理由としては充分だと思えた。気づくと、ぼそぼそとこう口走っていた。「その子たちに食い物にされてるのよ、あんた」哀れっぽい愚痴みたいに、最後の「あんた」だけが聞こえた。女の子たちはしんと静まり返り、タマラがきっぱりと大きな声で言った。「うるさいな、どっか行ってくれる？　目障りだよ」

何か月ものあいだ、この《目障りだよ》という言葉が体に染みついて全身に広がり、吐き気がし、恥辱にまみれた。いつだって勇敢だった彼女がこそこそし始め、同級生の女の子たちに指を差されてひそひそ話をされると震えが走るようにさえなった。タマラの裏切りのせいで、彼女はけっして自分の非を認めない少女ならではの、刺々しい暗い雰囲気をまとうようになった。「あたしの態度が悪い？　どこがだよ、くそ」ある日、母にそう口走って、《くそ》を聞き咎められて平手打ちされた。その年はずっと、スクールバスで彼女の隣に座る者は誰もいなかった。

べつにタマラを憎んではいなかった。恋しかっただけだ。気づかれないように遠くから彼女を眺め、クラスののけ者たちと一緒に過ごした。仲間はずれにされる子には決まったカテゴリーがある。デブ、不細工、がり勉、つまんない子、杓子定規、告げ口屋、レズ。思春期は彼女を揉みくちゃにし、自分でもどこ行きの切符を渡されたのかわからないまま、エスプリウ地区とエル・カナルの境界にある公園をぶらぶらした。居間の隅に浮かんでいたタマラのおばあちゃんの記憶はふっ飛んでしまっていたので、爪はじきにされたこととあの出来事とを結びつけたことも一度もなかった。タマラによれば地球の中心から来るという、体がばらばらになった生き物を探しに、ラ・カラベラに行ったことはもちろん覚えている。でも見つかったのは、使用済みのクリネックスとビールの空き缶と煙草の吸殻だけだった。

ある晩、飲み会ですっかり酔っぱらって、もううんざりしたので帰宅しようとしたとき、自宅のある通りに向かう前に公園の外でしばらく立ち止まり、あたりをうかがった。公園内に誰もおらず、誰もこちらを見ていないことをまずは確認したかったのだ。どちらも確かめるのは無理だった。棕櫚の木立ちだの、地面を這うようにして植えられた蘇鉄だの、ガジュマルの太い幹だののせいで、悪党たちは簡単に身を隠せた。

彼女はラ・カラベラに行った。毎日のように午後に通ったときと同じ道を通って、林の中の空き地に足を踏み入れる。歯石のこびりついた歯のように黄ばんだ月が見える。ひどく怯えていた。そこできっと誰かに出会うという確信めいたものがあった。彼女だけを待ちかまえている誰かに。それでも彼女の足は止まらなかった。

目が暗さに慣れるのを待っていたそのとき、何かがきらりと光った。プラスチックのようでもあったが、同時に肉のようでもあった。それは、シューッという音を出しながら、ゆっくりと移動した。蛇だと思った。皮のとても硬い、ものすごく太い蛇。彼女は走って逃げた。

ベッドに潜り込んだとき、全身がどきどきと脈打っていた。

翌朝、酔っぱらっていたせいで見た幻覚だと自分に言い聞かせた。

十八歳になったとき初めて、タマラと再び話をした。CDショップのショーウィンドウの前で偶然鉢合わせしたのだ。「ポーティスヘッドのCDを買おうと思って。一緒に来ない?」タマラが言った。二人は、ポーティスヘッドのCDジャケットに登場する、黒い上着や画面にくり返し描かれる〈P〉のロゴを前にして、しばらく時間を過ごした。ポーティスヘッドの曲はいい感じだった。ポーティスヘッド–タマラ。このつながり。お喋りが尽きずに、二人はそれから公園まで歩き、芝生に腰を下ろして、音楽のことや、しゃれこうべを連想させるあの林で遊んだときのことを話した。いっさい言葉を交わさなかった六年間には触れなかった。まるで、十二歳から十八歳までのあいだに起きたことは消えてなくなったかのようだった。それから二人の足はエル・カナルに向かった。古い家の中には不法占拠されているものもあった。中庭でビールやワインのコーラ割り《カリモーチョ》が売られ、スカが聞こえてきた。オクパと呼ばれるそういう不法占拠者の店の一つにまずは入ってビールの小瓶を何本か飲み、そのあとまた別の店に河岸《かし》を変えた。そこはタマラの祖父母が住んでいた通りだった。同じ建物だと誓ってもよかった。

タマラのイアイアの家を訪ねたのは確かだが、その日の記憶はぼんやりしていた。天井に浮かんでいない太ったおばあちゃんが、タマラの両親やきょうだい、キッパーをつけていないおじいちゃんのいる食卓にアロス・アル・オルノを出してくれたこと、テーブルが居間のほとんどを占領していて、会食者全員が立ち上がらなければならないのでデザートが終わるまでトイレに行けなかったことは覚えていた。そのあと何をしたのか、その日どうしてタマラのおばあちゃんの家で食事をすることになったのかはわからない。食卓の光景だけが頭の中に切り取られている。ニンニクとジャガイモとエビをお米と炊いた料理の味と、歩きまわるイアイアの太いふくらはぎのイメージと一緒に。なんだか、おばあちゃんの脚も料理に欠かせない材料だったかのようだ。

そのオクパは二階建ての建物で、バルコニーがあり、建物正面には、汚れた小島群みたいに見える白と青のタイルが貼られている。エル・カナル界隈をぶらぶらするときには、海岸のほうには行かずに北をめざして灌漑農地《オルタ》まで足を延ばすが、ここ数年は注意深くこの路地を避けていた。うっかりこの路地にぶつかってしまった場合は、そうしていればタマラと出くわさずにすむと信じて地面からけっして目を上げずに歩いた。エル・カナルに行くのは、友人とは無関係で、時とともに（というか、彼女が生まれてからのごく短いあいだに）失われてしまったこの一帯にまつわる謎めいた伝説が理由だった。ここの住人は町のそれ以外の場所に住む人とは何かが違うという噂で、歩行者のあとをつけて何の変哲もない路地をさまよったことも少なくない。めったに見つからないような不思議なものが見つかるのでは、と期待したのだ。秘密の町の入口とか、岩や海から生まれた人とか。

「オクパの中を全部探ってみない？」と彼女はタマラに言った。中に入ると、ドアのない部屋に囲まれた玄関ホールを進んだ。空間の広さを考えると、やっぱりここは友人の実家じゃないのかも、と思う。記憶の中のあの一瞬の光景にあるのは、息苦しいほど狭い住まいだった。一つの家を複数の借家人がシェアして借りていたとか？　以前は、金持ち連中のバカンス用の古い別荘に、貧しい家族が階ごとに層を成すように住んでいた？　考えてみれば、自分はこの地域について何も知らないではないか。想像にばかり頼って、きちんと地域の歴史について本で学ばなかったのがいけなかった。

二人は、枯れた雑草の中に野菜が育っていそうな感じがする花壇のあるパティオで、ちんまりしたスツールに座っていた。上階にはバルコニーがあって、ライトや蠟燭で明るく照らされ、人も大勢いる。入ってきたときには、バルコニーは客に開放されていないのだとばかり思っていた。どこから二階に上がるのか誰も案内してくれなかったことだけがそう思った理由だと気づき、二階を探検してみようと二人は思い立った。すっくと立ち上がり、誰にも尋ねずに思いきって暗がりに入っていくと、階段が見つかった。

それで、やっぱりだと確信を持った。ここはタマラの祖父母の家で、足を踏み入れるのは二度目だけれど、その本質は破壊されてしまったと同時に今も存続していると感じた。キッパーをつけたおじいちゃんとイアイアは階段のどこかか、どれかの部屋で、東から差し込む明るい日差しの中で腰を下ろし、窓ではそよ風に吹かれたカーテンが気だるく揺れている。

階段は傷だらけの人工大理石で、段差がかなり大きい。その最上部にあるドアの下から光が漏れている。それを開ければ部屋があるのだろうが、覗かないほうがよさそうではあった。たぶん、記憶にしまい込まれたあの同じドアだ。友人の実家で食事をし、目にした太い脚に軽くショックを受けた、そんな薄ぼんやりとした何ということのない記憶がなぜそんなに大事に思えるのか、あえて自分に尋ねなかった。

中から何も聞こえてこないので、おそるおそるドアを開ける。階段をのぼりきったところで二人を待っていたのは、何もない壁に囲まれた空間の重苦しい静けさだったから、ドアの向こうにいる人は眠っているかも、と思った。ひょっとすると素っ裸だったりして。ところがそこはバルコニーだった。オクパの住人たち専用のスペースに違いない。二人をじろりと見た人々の様子から、歓迎されていないことがわかった。タータンチェックのスカートと、あちこち破れていたり安全ピンを留めたりしたメッシュのシャツを身につけていて、二人に尋ねてきた。「誰か探してんの？」どこから見ても〈エル・カナルのパンク少女〉という表現がぴったりの女の子だ。タマラと彼女はその子をまじまじと見た。〈エル・カナルのパンク少女〉というフレーズこそが、学校の中庭でのお喋りの主役だった。「あの子がエル・カナルのパンク少女と喧嘩した」、「あいつ、エル・カナルのパンク少女と付き合ってるんだって」、「彼女、家出して、エル・カナルのパンク少女になったんだ」。金曜日の夕方になると、高校三年生や大学準備コースの連中が集まるようなパブがある大通りに繰り出す、エル・カナルのパンク少女たちの姿を、遠くから見かけたものだった。こんなに近くで見るのは初めてだったし、ましてや話をしたことなんて一度もない。パンク少女を目の前にした新鮮な驚きは、言葉がひとつも出てこない恥ずかしさにまもなく変わった。遠くから見ても、自分たちがエスプリウ地区のいい子ちゃんたちだということはすぐにわかっただろう。

二人は赤面してそこを逃げ出し、しばらく歩き続けて、やっと二人きりになったと思えたところで、彼女は思いきってタマラに、今のオクパは昔あなたのイアイアが住んでいたところよね、と訊いてみた。

タマラは笑い飛ばした。

「頭がどうかしたんじゃない？」しばし口をつぐんでいたが、やがてタマラは続けた。「祖父母はベニカラープ地区にアパートメントを持ってた。会食に来たときのこと、覚えてない？」

二、三時間前からあの会食の光景が何度も執拗に頭に浮かんでいたけれど、打ち明けられなかった。ふいに、あれが偽りの記憶のように思えた。全部自分がでっちあげたことだ、という気がしてならない。じつはタマラは〝どっきり〟の芝居に加わっていて、わたしをかつごうとしているのかも。そう思うと怖くなった。

「わたし、帰る」

友人は内心、呆れたようだった。こう言ったとき、そこに嫌味が滲んでいるのがわかった。

「祖父母のアパートメント、見てみる？」

二人は地区を南へ進み、排水路を渡るときには鼻をつまんだ。質素な漁師の家々が並ぶ中に、夏のバカンス用の古い別荘がときどき趣を添えている、そんな景色は、三階建ての煉瓦造りの建物が続く街並みへと変化した。くるりと回れ右をし、そのままタマラを置いて逃げたくなる。タマラの後ろに続いて歩いていると、そこは街ではなく、谷間の長い隘路を進んでいるような気がした。長い豊かな黒髪が揺れるタマラの背中を見、つまずかないように地面を見る。路地は異様に暗く、二度ほど派手に転びそうになったが、それは舗装にひびが入っていたからではなく、変なところにいきなり段差があったからだった。次の足がかりが見つかるまでのごく一瞬、体が穴に、底なしの深淵に転げ落ちるかと思うあの感覚。その感覚に、タマラの長い髪を見ていても襲われる。突然彼女が振り返ったとき、そこに別の顔があったら、と思うと怖かった。宙に浮いていたあの太ったおばあちゃんの歪んだ顔が。そう、そのとき突然甦ってきたのだ、あの記憶が。彼女の不安は、夜の静穏さとは対照的だった。すでに午前一時をまわり、バルは閉まろうとしていた。夕食を食べに来た人々も、車道に投げ捨てられた煙草の火が飛び散って消えるように、店の前で散り散りになった。二人は広場にたどり着いた。縁石に座り込んで大きなプラスチックカップで酒を飲んでいる若者たちが、こちらに向かって口笛を吹いた。

「祖父母の家はあれだったんだよ」タマラが言った。

そして、狭くて物悲しい、長いバルコニーを指さした。

「じゃあ、勘違いしてたのね」彼女は答えた。

狂気も、タマラが自分をかつごうとしているのではないかという印象も、消え去った。

その夏、二人は一緒に町をぶらぶらした。こんなふうに通りががらんとするようなことは、もう二度とないとも知らずに。何度もエル・カナルを探検し、海岸までくねくねと続く、灌漑農地《オルタ》の車道も歩いた。そこでは夕方になると、収穫後の農地の焼畑がおこなわれ、あたりは青みがかった煙に包まれた。そういう郊外の土地を行き交うのはバイクと犬ぐらいのものだった。ときには夜にほかの地区まで足を延ばし、店もすべて閉まった八月まっただなかの平日の街の様子はどんなものか見に行った。オレンジ色の街灯はいつも頼りなくて、プラタナスの葉叢やなめらかな湿り気を通して光がちらちらと落ちてきた。二人は汗をかかなかった。寒さより暑さに強い年頃だった。両親やきょうだいたちはみなバカンスに出かけてしまい、彼女たちはひと月、二人だけで過ごした。マリファナを買って、それが許されている酒場で吸い、そのあと公園の芝生でビールの一リットル瓶を前に打ち明け話をした。ビールはだんだん生ぬるくなっていき、二人は喉の渇きを癒すためだけにそれを飲んだ。

その八月は、子供時代全部を合わせたような強烈さだった。それから九月が来て、家族が、人々が戻ってきた。そうなると、それぞれの友人の輪には隠れて、こっそり会うだけになった。二人はラ・カラベラを前にして佇んでいた。囁き声がたちのぼってくる。地面を這う何かのつぶやき。彼女は昔タマラが話していた、トカゲの尻尾みたいな、そしてまた何よりも、あの太ったおばあちゃんみたいな、生き物たちのことを思い出していた。尋ねたい質問はまだ口の中でちりちりと燃え続けていた。

二人は別々の大学に入った。友人は心理学を、彼女は人文学を選んだ。しばらくのあいだは電話で話したり、一、二度日曜に会ったりしたが、タマラが引っ越してからは音信不通となった。

パリ近郊《ペリフェリー》

París Périphérie

わたしは地図を見るのが好きじゃない。どうやら地図を読む才能がないらしく、よっぽど注意しないと通りの名前を勘違いしてしまい、たとえば〝海《マール》〟広場を探しているのに、まったく反対側にある〝群島《イスラス》〟通りに行ってしまう。住所ではなく地名を頼りにするせいだ。記憶が場所をすり替えてしまう。だから、正反対の方向に進んでいたと知って驚いてしまうのだ。わたしはけっして直感には従わないのだけれど、じつは案外これが間違っていない。なのに、マール広場はこのあたりだ、地図で見たことがある、と自分に言い聞かせる。そうして標識も見ず、とんちんかんな道順を信じて、そのまま歩き続ける。

今日は、例によって地図を見てもまるで役に立たない日だ。わたしはカルフール・プレイエル駅で地下鉄を降り、パリ・ペリフェリー北部地区を管轄する社会行政センターを探している。このあとさらに六か月間、サン＝トゥアン市役所宿舎に滞在を続けるための住宅補助金、ＣＡ

Ｆの手続き期限が明日までなのだ。初めての駅で降りたときいつもそうするように、ホームをよくよく観察したが、じつはどの駅もわたしには同じに見える。出口から外に出るとそこはちょうどお目当てのアナトール・フランス通りで、センターの住所が三四五番だということから考えると、かなり長い通りらしい。

トンネルをくぐって、通りの奇数番地の側に出る。地下鉄の駅正面にはカフェがいくつも並び、続いてホテルがある。番地は三五七番だ。実際、通りは際限なく続いている。わたしがいる場所から南のほうに目をやっても、終わりが見えない。建ち並ぶ建物はソ連のそれみたいな魅力に欠ける代物で、薄汚れた、気持ちが塞ぐような色だ。通りの角にある白い煉瓦造りの家にたどり着いたとき、嵐の気配を感じた。壁の黴が不思議と乾いており、庭は手入れ不足のせいで、草木が奔放に繋っている。雨は、前にも覚えのある違和感を呼び起こす。

番地表示があんまり大きいので、最初は別の何かかと思った。赤いパネルに記された番地は、門の鉄格子からぶら下がっていた。三二三番地。その下に、〈売家〉と書かれたオレンジ色の札がワイヤーでくくりつけられている。さっき見た場所からすると番地が十七個飛んでいるので、回れ右してロータリーに入る。自分がどこへ向かっているのかさっぱりわからない。近代的で冷ややかな高層ビルが三棟並ぶ車道がアナトール・フランス通りから続いているが、そのどれにも行政センターが入っているようには見えない。それでもわたしはあきらめない。雨が降りだした。高層ビルがあるのはその車道ではなく、左にそれていく坂道を上がったところだとわかる。車道は高速道路《オートルート》に続いている。北部地区はそちらに向かって延びていて、どこもカルフール・プレイエル周辺の雰囲気を靄で薄めた悲しきレプリカといった風情で、つかのまそちらに目をやったわたしは、何とも言えない、でもどこか心地よい不安に襲われる。アナトール・フランス通りをさらに進むには高速道路を越える必要があるのかも、と思いながらも、とりあえず坂道をのぼることにする。進んでいくが、番地表示がどこにもない。こっちはだめだ、とすでに確信めいたものを感じる。それでも進み続ける。やっと高層ビル群にたどり着いたとき、そのまわりがトラックで埋め尽くされた駐車場だと知る。

次の選択肢は高速道路の向こう側に渡ることだ。車道の路肩を進んだが、それは土手のところで突然途切れる。わたしはそこで立ち止まり、叩きつけるような雨の中、びゅんびゅんと目まぐるしく通りすぎる車の渦を眺める。もう足がびしょびしょだった。結局、宿舎の自分の部屋に戻ると、ミシェルに電話をし、フランス語のボイスメールを聞く。わたしは日記にこう書く。《たとえ毎日そこに通っても、絶対に目的地にたどり着けないだろう》。それでもなんだか気持ちがざわざわと落ち着かない。書棚に近づき、マルグリット・デュラスのエッセー集『アウトサイド』を探す。その中に、パリの周縁地域について書かれた一編があったはずだ。パリ近郊の地図はない、とたしか書いてあった。サン＝ドゥニに代表されるように、バンリューが形成される前から古いごちゃごちゃした街区があり、地図を作ることができないのだ、と。バンリューとは、フランスならではのがらんとした大通り《ブールヴァール》の対極にあるような場所で、低所得者層向けの団地が並び、鼠みたいに追い立てられたアラブ系の人々が逃げ込んでいる。

翌日、昨日の不安などすっかり忘れて、奇数番地をめざして出発する。今回は人に聞こうと決めていた。老婦人に尋ねると、地下から外に出なくていいのよ、センターは偶数側の出口から始まっている通路のつきあたりにあるから、と言う。迷いっこないわ。

通りを渡り、偶数側から地下に下りる。通路なんてどこにもない。そこで奇数側の通路を通って切符売り場に戻り、もう一度ホームに入る。こんなの馬鹿げてるとわかってはいたが、もしやということもある。疲れ果て、また別の人に尋ねてみる。三人に訊いたけれど、返ってきたのは同じ答えだ――センターがどこにあるか知りませんが、いずれにしても、通りに戻って、そこで尋ねたほうがいいですよ。通りに出たわたしは、もう人に尋ねるのをやめ、電話ボックスからミシェルに電話をかける。

「おいおい」彼が言う。「駅を出てすぐなのに！」

「でも、どこにもないのよ。昨日どこにいたの？　この五日間ずっと、いったいどこにいたのよ？　助けてもらいたいから、たぶん電話するって言っておいたじゃない」

「今どこ？」

「もう言ったでしょ」

「駅の正面にガラス張りの建物が見えない？」

「ガラス張りの建物なんかないわ。あなた、今までどこにいたのよ？」

「ガラス張りの建物があるんだ。そこ、本当にカルフール・プレイエル？　プレイエル・タワーの下の？」

「プレイエル・タワーの下よ」

「じゃあ、僕の勘違いかも。ちょっと待って、考えるから。そっちに行こうか？　そこに行けばきっと思い出す」

「昨日どこにいたの？」

「それはどうでもいいだろ。今日で期限が切れるんだから、僕にそっちに行ってほしいなら、急いだほうがいい」

「わかってるわよ」

「そこで待ってて。三十分で着くから」

「来てほしくない」

わたしは電話を切る。もう小銭がない。それでおしまい。ミシェルのことはもう考えない、生まれたときから今まで彼のことなんか考えたことなかったんだし、と思う。それに、わたしがこの世に存在するあいだは、彼のことは思い出にすらするもんか。牝牛やら羊やらの思い出はある。道端でぴくぴく震えていた緑色の痰の記憶さえある。でも彼の記憶は何もない。ゼロだ。できればそう叫びたかったし、笑い飛ばしたかった。それはぞっとするような、でも人を自由にしてくれる冷淡さだ。わたしは行こうとして、最後にもう一度、高速道路の先にあるものにちらりと目をやる。前日と同様サン＝ドゥニは靄に包まれ、その光景がわたしの心を魅惑と恐怖のあいだで揺さぶる。ゆっくり近づいて、わたしをこんなにも惹きつけるあの光景の中に足を踏み入れ、その途中でもしセンターをたまたま発見したらミシェルに電話して、ついに見つけたけれど、寄らずにそのまま立ち去ると言おう。補助金の書類を手に握りしめたまま、今はトイレの便器に座り、これからそれにおしっこを引っかけようとしている、と。

わたしは夢遊病者のように、食い入るように、その光景に見入っている。高速道路を越える道順は、まず谷間に向かって下りていく小道を進み、コンクリート製の橋の下をくぐることから始まる。走る車の耳を聾するような音が橋の下にこもり、増幅される。わたしは思わず走りだし、その勢いでつまずく。小道は草叢の中に消え、わたしは斜面をのぼって柵を乗り越えなければならない。谷間に沿って続く原っぱの中にあるその柵の存在は、いっさいの文明から切り離されている。そこにある空間から新たな小道がいくつか伸び、今や高速道路も、全世界の混乱《カオス》も、背後に置き去りにされている。たいして進まなくても、その先には何も見つからないとわかる。空き地は巨大広告パネルやスクラップ場に侵略され、周囲を金網で囲った中古車販売場には色とりどりの小旗が張り巡らされて、風で狂ったようにはためいている。静まり返った、閉鎖された工場。七百メートルほど行くと、町が再び現れる。スーパーマーケットのポスターが目に入り、並んでいる小さな商店から買い物袋を抱えた女性たちが次々に出てくる。わたしは番地表示をわざわざ確かめもせず、また橋の下へと戻る。そこでしばし立ち止まり、騒音と、自分が今存在の限界にあるという事実に、耐えられなくなるまで留まる。そこを出たら、と、わたしは存在につながる細い糸を取り戻すために自分に言い聞かせる。そこを出たら、わたしのそばにいてとミシェルに電話をしよう。

ミオトラグス

Myotragus

彼女は軽快に肉を切り、口に入れた。いや、口に入れる前からすでに顔をしかめていたのだ。最初から、そのロースト肉の様子にはかなり疑わしいところがあると確信していたかのように。彼はとくに気に留めなかった。結局のところ、彼女は週末ずっと鼻に皺を寄せて過ごしていたのだ。その日の午前中、グラン・ビア・デ・コロン通りで信号が青になるのを待っていたとき、彼女は彼のコートのポケットに手を滑り込ませてきた。知人が彼女に挨拶をすると、その手を握りこぶしにして、さらにポケットの奥まで突っ込んできた。たぶんそうした人々から、彼に守ってほしかったのかもしれない。彼女を羨ましそうに見ていた役人夫婦や、なるほどねといようように曖昧にうなずいてみせた近所のご婦人から。彼は、固く握られたその拳をなんとか握り返そうとした。思いがけず彼女が見せた怯えに、やさしい気持ちになったのだ。娘がまだ幼かった頃のことを思い出した。犬だとかほかの子供だとかに怖い思いをさせられたとき、娘を抱き上げてよしよしとなだめようとしたが、彼の背中をぎゅっとつかんでいた娘の小さな手はなかなか緊張を解かなかった。娘以外に、そうして手で恐怖を握りしめる人を見たことがなかった。娘とそんな共通点があるなんて、と彼の中で期待がふくらんだが、幻想は長くは続かなかった。知人たちが、ではまたと言って立ち去ると、彼女はポケットからすぐに手を抜いた。自分に恋人がいることを知人たちに見せびらかしたかっただけで、手を拳に握りしめていたのは、本当は彼と手なんかつなぎたくなかったからだろう。

「これ、子山羊じゃない」今、彼女は彼にそう言った。

彼は眼鏡をかけていた。今では眼鏡をせずに食事ができなかった。彼はぐずぐずして、なかなか肉の味見をしない。彼女はさらにもう二切れ肉を口に運び、咀嚼し、首を振り振り飲み込んだ。それからウェイターを呼んだ。ウェイターがテーブルに現れると、彼は急いで一切れ口に入れ、子山羊肉かどうか確かめた。

「これ、子山羊肉じゃないわ」彼女はつっけんどんにウェイターに告げた。

一年前に他界した妻もそうだったが、この女もどんな場所でも人の注目を集めずにはいられないようだ、と彼は思った。

「これは最高級の子山羊肉でございますよ、お客様」ウェイターは応じた。

「子山羊肉じゃないわよ。よく知っているの、子山羊肉については。何度も食べたことがあるし、子供たちが来ると自分でも料理をする。これは子山羊肉じゃないと、完璧にわかるわ」

「焼く前の肉をお見せすることもできますが」

「これはという肉は、もうちゃんとこの目で確かめてます。こちらの冷蔵庫にどんな肉が入っていようと、私には関係ない」

「よろしければ、別のものをご用意いたします」

「ビニール袋を持ってきてちょうだい。私は研究所で働いているので、これが子山羊肉かどうか自分で分析します。もし違っていたら、正式に苦情を申し立てます。この人が証人よ」

彼女は彼を指さした。まるで、彼も偽の子山羊肉であるかのように。

ウェイターはビニール袋を取りに下がった。

「穴とかあいてないといいけど」袋を受け取った彼女はそう言い、すぐに子山羊の脚を袋に入れた。

彼女はそれをしっかりとくるみ、バッグにしまった。店を出て、彼女がどうやって死肉を分析するか説明し、研究所の勤勉さのおかげでこれまでに何度もレストランを告発した――メニューにない肉を客に出したとして、すでに七件ものクレームをねじ込んだ――と得意げに話したあと、彼は、自分には子山羊肉に思えたと告げた。すると彼女は黙り込み、そのままずっと口をきかなかったので、とうとう彼は、別の町にある自宅に帰ることにした。車にたどり着いたとき、彼女は、一人でいる時間があまりにも長すぎたのと打ち明けた。だからぴりぴりしてしまって。とにかく、この肉は検査してみるわ。

バレアレス諸島マヨルカ島にかつて生息していた〈ネズミヤギ〉は五〇〇〇年ほど前に絶滅し、現在その姿は再現図で目にすることができるが、その古生物をかなり自由に解釈してシンボルマークにしたワインまである。瓶に描かれたイラストは、悪魔的な牡山羊か、はたまた、女性をつけまわし夜な夜な幽霊のように枕元に現れる、半人半獣の年老いたサテュロスかと思わせるような姿だ。洞窟などで発見された骨の量から考えて、新石器時代の人々の食料になったことは明らかで、美味な肉だったと推測される。科学者たちは、新石器時代の人々の大食が絶滅の原因ではないかと考えている。またネズミヤギはマヨルカ島にしか生息していなかったため、餌を見つけるのが困難で、島という資源の少ない環境に適応するため、爬虫類のような体の仕組みを身につけた。血液の温度を下げ、体の成長や代謝を制限したのである。体重一三キロ、体高五〇センチほどで、後肢が短い。動きはのろかったが、島には捕食動物がいなかったので、速く動く必要もなかった。天敵がいないと言っても、もちろん人間は別である。脳みそは小さく、動きが緩慢だったのはそのせいだ。トカゲのように、日光を浴びてエネルギーを蓄える。頭部の構造も、現代からすると風変わりに見えるだろう。眼球が横ではなく前面を向いているからだ。また、鼻面が低く、下顎が異様に発達していた。

ペーター・ヨハン大公は、丘《ムンタニエタ》の高台で、ミオトラグスのことを考え、悩んでいた。昨夜の夜明け前に、断崖に向かって歩いていた彼の前に一匹の動物が飛び出してきた。闇夜だったが、大公は真っ暗な中であたりをいつも歩きまわっていたし、目をつむっていても間違わずに、ソン・モラゲス農園に隣接する土地の小径を伝っていくことができた。そうした小径のひとつが海を見渡せる高台に続く。彼は訓練のすえ夜目がきくようになり、曇天や月のない夜にそれを活用するのを好んだ。そういうとき、彼は樹皮の奇妙な動きを目にすることがある。幹の横方向にめりめりと亀裂が入っていくのだ。ときにはぽっかり穴があくこともあるが、あえて近づいて調べようとは思わない。その穴の内側に滑らかな木部はないと知っている。そこにあるのは木の生きた組織ではなく、底なしの深淵で、下手をすると呑み込まれてしまう。樹皮の裂けていく動きは蟻の行進を思い起こさせる。ふいに森が、もっと高温で野性そのままの場所へ向かおうとする、ありとあらゆるアリ科の虫たちに占拠される。ざわざわとダンスをしながら木々が迫ってくるその瞬間、大公は地面に目をそらすしかなくなる。おそらくは妄想上のその蟻たちは、彼にまとわりつき、脚をのぼってこようとしているかのようだった。

しかし昨日起きたことはいつもと違った。風に潮の香りがし始め、エニシダが縁取る小径に近づいたとき、木立ちの中から一匹の動物が現れたのだ。大公がつねに目にするようになったあの手の空想の産物などではなかった。その動物はどう見ても現実で、あたりは真っ暗だったにもかかわらず、こちらをじっと見ていることがわかった。自分の知るどんな動物の分類にも当てはまらない。イノシシでも、山羊でも、羊でも、兎でもなく、ましてや絶対に犬ではない。その風変わりな姿かたちにも目を見張ったが、自分と似た動きの鈍重さにも驚いた。しかし次の瞬間には、道を横切って林の中に消えた。大公はそれを見ながら、あいつは自分と同じ病を患っているに違いないと思った。

大公は象皮病だった。夜中に歩きまわったり、農園のどこぞの高台で夜を過ごし、夜間ならではの音に耳を澄ましたりする彼の習慣のことを知らない者は多いが、そうするのも病と関係していた。象皮病のせいで普通の人のように外を出歩くことができず、闇に紛れていれば、人目を気にせずにすんだ。断崖にたどり着くまでには何時間もかかるが、誰に見られることもない。ニカノールという聾唖の使用人が、二輪馬車を引くアンダルシア馬を駆って、大公を連れ帰る。すると夜明け前にはソン・モラゲス農園に到着した。この使用人とは当初は意思の疎通が難しかったが、そのうち大公の考えを理解させられるようになった。これまで自分に仕えてきた聾唖の使用人たちもみなそうだったが、彼らは秘密をよそに漏らさない。大公にとっては、いろいろな意味で、聾唖の者を使うのが好ましかった。彼のことを慈善家だとか理想主義者だとか褒め称える者も多かったが、憎む者もじつは同じくらいいた。

秘密の言語を用いて主人とやり取りをしているらしきこの使用人は、別の怪しげな仕事にも携わっていた。ときに大公は、娘を二、三人調達してくるように彼に頼んだ。聾唖の使用人は島の反対側へ向かい、貧しい家から娘を二人ほど選んだ。人々がすっかり寝静まったあと、娘たちは裸に剝かれ、走れないように足首を縛られて、森の空き地で待たされた。大公が娘たちを狩って遊ぶのだ。這って逃げる娘たちも、しまいには捕まった。すると例の使用人が現れ、乱痴気騒ぎに加わる。翌日、ロープで赤く擦りむけた脚を引きずり、腿を乾いた血で汚した娘たちは、食料や金銭、近辺の裕福な家で使用人として働くための大公直筆の推薦状を持たされて、家に帰された。

だが今日、こうしてムンタニェタの高台で思い返すと、どんなに派手な乱痴気騒ぎの記憶も、あの動物を見たときに感じた不思議な驚きとは比べものにならなかった。今ではもう名前もわかっている。いや、自分ではそう思っている。あれはミオトラグスだ。

その絶滅した動物を覚えていたのは、化石が展示されていたロンドンの自然史博物館を訪れたことがあるからだ。たしか山羊と鼠の中間みたいな動物で、その化石を最初に発見した古生物学者のドロシア・ベイトは、何千年も前に絶滅した動物だと彼に説明した。そのとき大公は、ガラスケースに一体だけ堂々と展示されたネズミヤギの骨格をもとにして描かれた再現図も目にした。彼はその再現図にすっかり夢中になった。マヨルカ島に関係しているものには何でも心を奪われる。島に来てからというもの、民俗学者や地質学者を雇って島を調査させた。自分でもこの地方についてもっとよく知るために何度も島々を旅し、バレアレス諸島に関する本を何冊か書いた。土地固有の植物が生育するので、この地方全体の植物相を植物学者に分類させた。この土地にしかない種類の葡萄やオリーブでワインやオリーブ油を作り、農業博物館を建設した。セスタカ村に長期滞在していた画家たちに風景画を依頼し、景色をできるだけそのままカンバスに写してほしいと頼んだおかげで、できあがった絵は現実そのものだった。古生物学者に化石を発掘させ、鳥類学者や生物学者、果てはかの有名な博物学者オドン・デ・ブエンまで呼んで、ミラマルの自宅で進化論について長時間議論した。大公は、この地方の自然についてはすべて分類が済み、島そのものをショーケースに展示するかのように、招待客にいつでも披露できると自信を持っていた。マヨルカ島について自分が成し遂げたことを誇りにしていた。ところが、真夜中に目の前を横切った、象皮病患者さながら悲しげに足を引きずっていたあの動物によって、彼はプライドを傷つけられたのだ。

トラムンタナ山脈を隅々まで捜索しろと使用人たちに命じようかと思ったが、幻覚だったのかもしれないし、人の噂になるのが恐ろしくて、思い留まった。

だから向こうからまた姿を現すのを待つことにした。夜行性か昼行性かわからなかったので、出かける回数を増やした。聾啞の使用人が二人の娘を連れてきたある夜明け前も、ただ岩の上に腰かけて、ニカノールが二人を貪り尽くすのを眺めているふりをした。実際には林に目を凝らし、三度ほどかさこそと音がしたような気がして、立ち上がってはマスティックの木の林の中を探しまわったりした。娘たちを捕まえることそのものにも、もはやあまり興味が湧かなかった。馬鹿げた気まぐれに身をまかせる、色ボケ老人になったような気がしたのだ。娘たちをソン・モラゲス農園の厨房に連れていき、昼食に食べた子山羊の残り物を与えて、せめて腹いっぱいにして帰してやれ、と聾啞の使用人に命じたのも、そのせいかもしれない。使用人たちも、客人たちも――名高いニカラグア人詩人と、大公に名誉市民の称号が贈られることを祝ってパルマで舞踏の出し物を計画している振付師——娘たちを見ても平気な顔をしている。まるで、農園で暮らす者がこぞって大公たちの乱痴気騒ぎの片棒を担いでいるかのようで、ソーセージにする腸《はらわた》でも見るようなぼんやりした目で娘たちを眺めた。のちにわかったことだが、二人のうち痩せたほうの娘が、下女の一人に、自分もそこで下働きをしたいので口添えしてほしいと頼んだのだという。

「うちはとても貧乏で、こうなったらあたしはもうどこにも嫁げません」

下女は家政婦長に話をしに行き、家政婦長は大公と話をした。

「わかった」と大公は言った。「だが、ここに置くわけにはいかない。セスタカ村に連れていき、どうやってここに来たかについては口止めしろ」

農園じゅうの笑い者になるのが怖かった。自分の性的嗜好について、いったいどれだけ知られているのだろう？　ニカノールは本当に信頼できるのか？　あいつがほかの誰かとやり取りするのを見かけたことは一度もないが、何か特殊な意思疎通の才能があるのかもしれない。たぶん家政婦長か農園の親方と示し合わせているのだ。ニカノールの手配でみんなが林の中で身を隠し、脚の歪んだ老人の異様なふるまいを見て、驚いて声をあげたり大喜びしたりしているところが頭に浮かぶ。だがすぐにそんな空想は追い払った。

それからは毎日、夜明け前に断崖に続く小径に向かい、ネズミヤギが現れた場所で足を止めた。毎回一時間以上そこで待ち伏せしたが、無駄だった。もしかして、夜中に森で動きを見分ける能力をなくしてしまったのでは、とさえ思った。もはや樫の木の樹皮には乾いたコケの描く図形が浮かび上がるだけだし、単調でうんざりする静寂を破るのは野生の山羊の鳴き声のみだった。そうした夜、大公は小径の行き止まりにたどり着くと、ごつごつした花崗岩でできた断崖沿いの道を歩いた。砂利が自然に道を作っているようだった。道の最西端に質素な展望台が作られていて、石造りの椅子があったので、腫れあがった脚をそこで休めた。海を眺めていると悲しくなり、うっすらと絶望を覚えた。黒々としたゼリーのような海では、静かにざわめく水面《みなも》に下弦の月が揺らめいている。地中海が荒れ狂い、人を脅かすことはけっしてないとはいえ、そこに一人でいると恐ろしかった。岩場に身投げしたくなる衝動を押し殺し、断崖絶壁を、地中海の黒さを、かすかな靄を眺める。象皮病を患う自分に待っているのは、体の自由を失う未来だけなのではないか?

夜が明け始めた。断崖はもう彼を自殺にいざなおうとはしない。二輪馬車に乗り込み、屋敷に到着するまで眠りこける。それから朝食に卵と腸詰をどっさり食べる。ネズミヤギのことをどうするべきかずっと考え続けている。彼は二百匹の子山羊を買い、使用人たちに数日かけてそれらにたっぷり餌を与えさせ、丸々太らせると、陽が沈む頃に農園に解き放った。それから五日間連続で、銃を抱えてニカノールとともに野を歩いた。若いときから、狩りをせずにはいられなかった。今までに鹿を、象を、ノロジカを、ガゼルを、イノシシを殺してきた。子山羊たちは乳を求めて野生の山羊の後を追ったが足蹴にされ、まもなく疲れ果てて木々の下で群れを作った。子山羊たちは同様に、人間の後も追うそぶりを見せた。大公は何時間もミオトラグスの待ち伏せをしたが徒労に終わり、そのあと代わりに子山羊を一匹一匹、一発で仕留めていった。それはもうがっかりしたので、近辺のあちこちの村でパーティーを催した。とても贅沢なパーティーで、客たちには子山羊のロースト肉がふるまわれた。大公の死後、ミオトラグスが絶滅したのは、大公がたらし込もうとする娘にいつもそれを食べさせていたからだ、という噂が島じゅうを駆け巡った。

冥界様式建築に関する覚書

Notas para una arquitectura del infierno

私は天に上り、神の星々より上に王座を高く据えよう。
そして、北の果てにある集会の山に座し雲の頂に登り、
いと高き方のようになろう。

——イザヤ書、十四章十三節

I

近くに公園などないはずなのに、土の匂いがした。二キロほど離れたところにラ・アルムデナ墓地があり、小刻みに震える死者たちの気配が街全体に迫っているように思えた。

マドリードには墓地があふれている。サン・イシドロ墓地、カラバンチェル・バホ教区墓地、そして英国人墓地。そこはその独特の雰囲気ゆえに美しい。芝地がなく、今にも崩れそうな建物の裏壁が周囲を囲んでいて、そこに張られた洗濯紐に下がる下着はその大きさや色から老人病院を彷彿とさせる。今はなき墓地のことも忘れるわけにはいかない。バリェエルモソ地区のサン・マルティン墓地や、アラピレス地区のノルテ墓地。後者の跡地には現在〈エル・コルテ・イングレス〉百貨店が建っているが、二十世紀初頭までは死者たちがそこに安住していたのだ。

彼は自分の稼業を後ろ暗く思っていたが、とはいえ、それは今も昔もそうだったのだ。八〇年代に、役所で携わっていた都市計画の仕事から何年か離れ、中央アメリカに行った。結局、メキシコでシャーマンやペヨーテとともに暮らして五か月間酩酊を続けたのち、精神を病むことになった。緑色のメキシカン・ヘアレス・ドッグが彼のありとあらゆる家族、たとえば祖母、伯父、生まれてこなかったきょうだいたち、それに〈大兄さん〉の声で話しかけてくると訴えて、精神病院に入院させられた。だがそのことは誰にも話していない。都市計画の仕事は好きだったが、以前いた役所に戻り、堂々と出ていったくせによくも厚かましく戻ってこられたものだ、コネを使って前と同じポストと給料を取り戻して、と同僚たちに不信の目で見られながら仕事をするのはさすがにあきらめた。彼の中に不思議な能力が生まれたのはその頃だった。歩いていると、囁き声を耳にしたり、左肩にしつこく熱を感じたりして、通りの真ん中でよくふいに足を止めた。その熱は自分の骨や筋肉が原因ではなく、外側から、たしかに手の形をしたものから来るもので、とはいえ鎖骨のあたりを見ても、そこにあるのは暗赤色のポロシャツと、そのなかなか消えない感覚だけだった。静まり返った家のそこここから初めてはっきり声が聞こえたとき、また幻覚が、あのメキシカン・ヘアレス・ドッグが戻ってきたのか、あの馬鹿げたことのくり返しかと思ってぞっとしたが、冷静に分析したのち、これは幻覚なんかじゃない、何か別の現象だと確信した。それから、今までとは違う形で、つまり根深く残る憤りを忘れて考えてみた。二十年以上前に亡くなった〈大兄さん〉のことを、家族がひた隠しにしてきた大兄さんの恥ずべき過去のことを、彼のお気に入りだった大兄さんは、彼が今感じている同じ疚しさとともに生きていたのだということを、兄のあとをずっと追いかけ続け、兄の好きな本を読み、兄の写真を眺め、兄の好きな音楽を好んで聴いた（兄が死んでからはベッドの下に兄のレコードを置いて眠った）ことを。すべてはその執着心がもたらした結果だった。あるいは遺伝なのかもしれない。こうして、変にカムフラージュせずにそう認めるまで、長年無駄に過ごしてきた。こんなに兄に関心を持つのは別の種類の理由からだと思い込もうとしていたのだ。単に兄が好きだったからだとか、兄を正当化するためだとさえ考えた。兄が発狂した日のことを覚えている。記憶ははっきりしている。季節は秋、ベージュ色の教会が通りの角にあり、プラタナスの葉が歩道に落ちていた。大兄さんは街灯の柱によじ登り、ヨハネの黙示録を大声で唱えていた。悪魔にでも取り憑かれたように見えた。頭はスキンヘッドで、頭皮のあちこちに切り傷があったことからして、ナイフで剃ったようだった。咲き誇る花のように血がきらきらと輝き、ホセ・デ・リベーラの『ティテュオス』の絵の傷みたいだとも彼は思った。

しかし実際には錯乱状態はもっと前から、兄が丸々一年姿を消していたときから始まっていたのだ。母はそのことを隠していた。やがて突然玩具が届き始めた。スロットカー。インディアンとカウボーイ。縄跳び。妹用のお人形、ドゥルシータちゃん。レジェス〔東方の三賢人のこと。スペインではサンタクロースではなく、一月六日の三賢人の日にレジェスがプレゼントを持ってくる〕は二、三週間に一度彼の家を訪れ、そのレジェスとは兄だった。「昨夜お兄ちゃんがここに来たの」と母は言った。「でも、すぐに行かなきゃならなかったのよ。あなたたちが寝てしまったあと、ずいぶん遅くに到着してね。今は仕事がすごく忙しいの。あなたたちにこれを持ってきてくれたわ」妹のラウリータは簡単に策略にはまり、そうしたプレゼントは透明人間のお兄ちゃんが、切り抜き人形のお兄ちゃんが、石蹴り遊びのお兄ちゃんが、フラフープのお兄ちゃんが、名犬リンチンチンのお兄ちゃんがくれたと信じ込み、「ママ、次はあたしたちを起こして」と頼んだ。一方、彼はいつも秘密の伝言を預かった。「とても大事な任務があるんだ。もう行かなくちゃ」日曜の朝六時に兄がそう言って彼に別れを告げたことは、たとえどんなに母が彼をだまくらかすお芝居をしても、絶対に夢ではなかった。でも、彼は母をあえて否定はしなかった。まるで、二つのことが同時に成り立ち、どちらも真実だと無理に自分に信じさせるかのように。

すなわち、兄が何も言わず行ってしまったことと、まるで幽霊のように、夜、決まった時間に目に見えない姿で現れるということ、その両方が。二年後、兄は何か月かのあいだ気まぐれに戻ってきては、たとえば朝食を食べていったり、寒い夕方にレンタカーのドッジ・ダート――以前は黒いメルセデスを持っていて、運転手がいたこともあった――に彼らを乗せ、ひと晩じゅう運転して、フランス国境近くの町ロンセスバーリェスで凍えるような夜明けを一緒に迎えたりしたのち、決定的におかしくなった。巨大なコガネムシやら、自分をつけまわす男やらの幻覚を見た。本の一節をぶつぶつと暗唱した。兄が家に居つくようになって、両親は怯えた。家具を乱暴に殴りつけたり、自分を捕まえようとしているやつの姿が見えたと言ってブラインドを引き下ろしたかと思うと、馬鹿笑いしたり、浴槽にプリンの素を溶かしたりした。兄は、誰かに見張られていると信じていた。そして、弟がプリンの素のお風呂に入るのを見て喜び、ラテン語でキケロの『ピリッピカ』を披露し、目に見えない相手と話をした。痩せこけた体のどこにそんな力があったのかという勢いで街灯によじ登り、そのあと救急車で運ばれたとき、まわりの誰も何も疑わず、何かが入り込んでいないか庭を調べもせず、家にいる幽霊を見つけるため霊媒師が呼ばれもしなかったことが、彼には信じられなかった。彼は庭のアリゾナイトスギの木を詳しく調べてみたし、聞こえてくる声と兄がよく会話をしていた廊下の曲がり角で、静かにしてねとお願いもした。でも彼自身には何も見えなかったし、何も聞こえなかった。家は死に、兄も死んでしまったかのようだった。母は影のようにふらふらしていた。ベッドとソファーを行き来するだけで、使用人に何も指示せず、ほとんど何も食べず、プーリおばが家に来て寝泊まりし始めた。学校へはおばが付き添い、毎日午後になると彼らを勉強部屋で三時間必ず座らせて、宿題をやらせた。まだ小さいので宿題などない妹まで椅子に釘付けになり、書き方ノートで文字の練習をさせられた。おばは毎日のように、あなた方の兄さんは悪魔と契約したせいであんなことになったのよ、と子供たちにくり返し言った。母がベッドとソファーに横になる以外のこともできるようになったとき、おばと大喧嘩し、おばはさっさと荷物をまとめて出ていったっきり、二度と顔を見せなかった。ある朝、二人はカルメンおばあちゃんに起こされた。

「パパとママはバカンスに出かけるの」と祖母は言った。「二人が戻ってくるまであたしがここにいるからね」

彼も妹もちっとも寂しくなかった。それはちょうど夏で、学校が休みに入るときと重なっていたし、騒ぎにはもう飽き飽きしていたのだ。それに、あれこれ大人に尋ねるには、二人ともまだ小さすぎた。大兄さんは父の子供ではなく、母がまだ少女と言っていい時分にひそかに産んだ子だということなど、まだ知らなかった。長いあいだ母みずから、この息子のことを自分の弟であるかのように話していたことも。そう、大兄さんはみんなのきょうだいだとでもいうように。それに、父の安堵した様子にも気づかなかった。やっとあの私生児から解放されるのだ。この家で一緒に暮らし始めたときにはすでに大人で、理性をなくし、彼こそが妻の夫にして子供たちの父親のようにすら見える、純粋な邪悪の産物である存在から。

大兄さんが精神病院の閉鎖病棟に入る前に姿を消していた一年のあいだ、彼は兄がいない理由を楽しく空想した。彼が生まれたとき、兄はすでに国防省の高官で、その後フレスネディィリャス・デ・ラ・オリバにNASAが設立したアポロ・ステーション所長に任命された。兄が国防省で働いていたとき、彼はまだとても幼かったが、ときどき来る客たちを迎えるときの緊張した雰囲気を覚えていたし、兄の仕事について口外することも禁じられた（「事業をしていると人には話しなさい」と言われたが、彼は無視したし、同級生はみな彼の兄はものすごく年上で、ものすごい重要人物だと知っていた）。家に帰ってこない夜もあり、そんなとき母は電話のすぐ横で眠り、その電話はラジオが時報を知らせるたびに鳴った。まるで、戦争で敵の村を攻撃するときさながらの正確さが求められているかのようだった。兄が公用車に乗っていたのはその頃で、平日は運転手付きの黒いメルセデスで移動し、そのこともまた、兄がいかに特殊な任務に携わっているか、いろいろと話をでっちあげる根拠になった。ＮＡＳＡで働きだした頃、兄は仕事について話さない代わりに、よその惑星や宇宙飛行士、空飛ぶ円盤の話をしてくれた。たとえばニューメキシコ州の牧場に墜落したＵＦＯ（ＵＦＯ研究の雑誌にあった写真を見せてくれた）だの、オーストラリアの草原に飛行物体が着陸するのを二百人の学生が目撃した話だの。そういうことから、のちのち兄の不在を適当な事件と結びつけて、その調査を担当している兄はあまりに忙しくて帰れないのだと考えたのは、子供ならたやすく飛びつく連想だったし、何晩もひそかに家を空ける大好きな兄を免罪するのにうってつけの理由に思えた。そのうえ、兄が消えた時期に、たまたまＵＦＯ現象が新聞やテレビをおおいに賑わわせ、彼はニュース番組を食い入るように観るようになった。新聞を初めて読んだのもこの頃だ。彼はＵＦＯ目撃事件について熱心にデータを集めた。スペインじゅうがこの現象のせいで騒然とし、宗教熱まで盛り上がって、天からやって来るのは火星人ではなく天使だと訴える者までいた。四つの丸い光の下、兄が夜な夜な小さな村の教会の鐘楼に鳥のように降り立つところを想像して、彼はうっとりした。村人たちは避難させられ、一帯は包囲された。まだ白黒だったテレビで、新聞記者や、全国からその村にやってきた野次馬に、軍隊が銃口を向けるのを見た。新聞には毎日、ＵＦＯ専門家とやらの見解が掲載された。世界じゅうのＵＦＯ目撃地を歩いたというバリャドリードのある人物が、光る球体は、白い尾を引くジェット噴射で移動する三角形の宇宙船だと証言したのを覚えている。

2

彼と妹は毎週大兄さんに会うようになり、なんだか宇宙人と過ごすような感じだった。大兄さんは精神病院の庭で二人を待っていた。訪問し始めた頃は、兄が日なたで居眠りしているところに看護婦が案内してくれた。兄はもう何も話してはくれず、質問してくるばかりで、彼と妹はまるで何かの役柄でも演じるように、無理やりあれこれ答えを絞り出した。答え終わってしまうと沈黙が訪れるとわかっていたからだ。しばらくすると、お喋りはだいたい自然になったが、それは兄がいかにも精神障害者らしくなるということではあった。

大兄さんを嫌っていたにもかかわらず、兄さんに面会させてやれと母を説得したのは父だった。兄が入院してからすでに五年が経過していた。父は彼と妹と一緒に座り、わざわざ買ってきた精神疾患の本を前にして、兄の病気がどういうものか説明した。本は、今後もたびたび参照することになるマニュアルか何かみたいに、書斎の書棚に置かれた。最初の面会は、とても暑い部屋で、医師が一人、監督者として付き添った。尊大で愚鈍そうなその男はいやな感じで、こちらを平気でじろじろ眺めて、入院患者に煙草を盗まれたとか、熱いシャワーは好きじゃないとか話した。彼らは庭を散歩し、会ったことを後悔させる沈黙がずっと続いた。一時間経ってやっと大兄さんは自分の態度が不適切だと気づいた。別れるとき、混乱したうわ言みたいな忠告をしてきた。家族だという認識が海馬のどこかで生まれそうでいて、その手がかりがどうしても見つからないかのように。

最初のうちは、兄が知性も感情も鈍り、ぼんやりした肉のかたまりみたいになってしまったのは病気のせいだと思っていたが、のちに薬の副作用について読んで、薬で心を安定させていないときの兄が本当はどんな人間なのか、ふと疑念が湧いた。そしてそれを解明するのが自分の使命だと彼は考えた。兄の様子をよくよく観察するにつけ、薬漬けの病人そのものだといっそう思えるようになった。病院に残って一緒に食事をしたとき、今ではませたティーンエイジャーになっていたラウリータが、侮辱的だとさえ思えるようなやり方で大兄さんの世話をした。ナプキンで口を拭いてやり、グリーンピースをテーブルにこぼしたときには、だめでしょとたしなめた。一方彼は、大兄さんはハロペリドールで脳を鈍化させられてなどいないかのようにふるまい、脳神経のどこかしらを刺激してくれそうな話題を探した。今はまだわからない、兄を理解する方法を見つけることにすべてはかかっている、それができれば、自分の体にいちばん悪いのは薬を飲むことだといつか兄も気づくはずだ、彼はまだそう信じていた。甘かったのは、兄の病状はあまりに悪く、毎日の投薬習慣を変えようがなかったことだ。母は鬱が抜けると、兄など最初からいなかったかのように行動し始め、兄の部屋を改装して、持ち物をほとんど捨てた。一家はイサーク・ペラル通りとファアン二十三世通りのあいだの一画にある大邸宅に住んでいた。近くにエリート学校や大学、フランコ時代らしい木々がこんもり繁る薄暗い公園がある、上流階級の人々が住むたぐいの屋敷だ。イサーク・ペラル通りと医学部を隔てる林に足を踏み入れると、マドリードの〝出世の山登り〟はここから始まっていると感じる。さらに登って丘の頂上にたどり着いたとき、そこにはもっと緑濃い森が、結核患者に療養を勧めることさえできそうな澄んだ空気がある。家には、冬のあいだも蓋をせず、六月になると藻やオタマジャクシがはびこって泡立つプールがあった。庭園は蔓棚や薔薇園を備え、三本の栗の木や、通りと屋敷を隔てる二メートルの塀より高くそびえるアリゾナイトスギが植わっていた。にもかかわらず、自分が特権階級だと気づいたのはずっと後のことだった。まず、幼い頃は同じような境遇の子供としか付き合っていなかったし、のちには、兄の不在や狂気、母の無関心を経験したことが、彼にはある意味、貧困と同じ意味を持ったからだ。

3

一九七二年、彼のみごとな成績と大学の建築科に合格したことを祝って父がミニを買ってくれたその年、人との違いがいよいよはっきりしたように彼には思えた。暗い性格、いつも軽薄になりきれなかったこと、簡単なことにあえて複雑なやり方で取り組む傾向、孤独や奇異なものや理解の範疇を超えるすべてのものへの愛着、夕方になると湧き上がる不安、そして現実から乖離するような奇妙な感覚、悪い予感などなど。

車は彼に決断力と成熟をもたらし、野放図な人間にした。彼はほとんど家に寄りつかなくなり、たいていは大学で過ごした。建築は彼にとって天職だっただけでなく、何より、物事を離れたところから眺める方法でもあった。それには学校そのものが役立った。内戦で被害を受けた建物で、当時の改修以来ほとんど手が加えられておらず、別の時代にいるような感覚になるのが好きだった。かつては休戦時の掩蔽壕《えんぺいごう》として使用されていたこともあって、外部と行き来するにはいくつもの長い通路を通っていかなければならなかった。天井から下がるプラスチックのサッカーボールみたいな白いガラス球の照明が、お偉方のブロンズ像をぼんやりと照らしている。誰の胸像かはちっぽけなプレートにちまちまと説明されているが、面倒でとても読む気になれなかった。彼が入学したとき、最後に葺かれた屋根板の下から不発弾が見つかった北棟の屋根の修理が始まり、それをきっかけに、彼は大学地区解放のための戦いについて何週間もかけて資料を読んだ。

建築科に入った興奮も、心の深い傷口から彼の目を逸らすことはできなかった。不発弾を不活性化させる日、いっそ何もかも吹っ飛んでしまえばいいのにと思ったし、教授連中にも、群れる学生たちにも、木炭でデッサンする美しくも醜くもない女性モデルにも、ときどき心底いらいらさせられた。西向きの中庭の薔薇園に逃げ込み、宇宙人が建てたかのような美麗な建物〈いばらの冠〉が突き抜ける地平線を眺めていたかった。海外に脱出せずにマドリードに住み続ける稀有な建築家の一人、フェルナンド・イゲーラスが設計したものだ。心の傷が開いたまま閉じないのは、そんなふうにまわりから逃げずにいられないのは、人が変わってしまった大兄さんのせいかもしれなかった。母が関わろうとしないので、今では彼が兄の法定後見人を務めていた。とにかく、そんなふうに別人になってしまった兄が、始まったばかりの彼の大学生活に、長いこと望んでいながら恐れていたことならではの力強さでぐいぐいと入り込んできて、変化を与えた。

大兄さんは、彼が大学に入る前から、薬が変わったおかげで以前より頭がはっきりし始めた。今では二人はとても親密になっていた。時事問題や、彼自身はめったに会いに行かない家族の様子、ほかの患者との交流、退院の可能性についてさえ話し合った。兄のことをずっと恋しく思っていたから、彼はこの共犯関係がことのほか嬉しかったが、それでも兄の妄想が話の中に何かと顔を出し、じつは一緒に外出するときには、たいていこうした妄想が二人の水先案内人だった。すでに土曜日に会うだけでは飽き足らず、夕方に大学の授業が終わると、そのまま兄のところに寄ることが多くなった。大兄さんは、自分には死者の声が聞こえると信じていて、より純粋なつながりが持てるからと言って、マドリードじゅうの墓地を訪れた。ラ・アルムデナ墓地、市民墓地、ユダヤ人墓地、フロリダ墓地、英国人墓地、ノルテ墓地、サクラメンタル・デ・サン・ロレンソ・イ・サン・ホセ墓地、サンタ・マリーア・サン・ペドロ・イ・サン・セバスティアン墓地。墓地にいると、大兄さんは正気を取り戻すように見えた。言葉のたどたどしさが消え、遠くをぼけっと見るまなざしも消える。国防省で働けたのは霊媒としての力のおかげで、陰謀がどこで練られているか知ることができたんだ、なんてことまで言った。外出はしだいに奇抜で気まぐれなものになっていった。たとえばある日、グアダラマのハロサ貯水池の近くにある一軒家に潜り込んだ。兄がそうしたいと言い張ったのだ。家の庭に足を踏み入れると、泣いている女の子がいて、ママが死んでしまったと二人に言った。大兄さんは何か考え込むようにしばらく黙り込んでいたが、やがて女の子の頭をやさしく撫でた。別のときには、自分を真夜中に病院からこっそり脱出させて、ビカルバロの工業地区に車で連れていけと命じられた。兄はある工場の入口をこじ開けて中に入った。彼は車の中で待ち、くだらないガラクタを盗んだ罪で警察に捕まるはめになるのだろうと思ったが、結局何も起きなかった。大兄さんは何も説明しようとせず、そのときもまた、精神疾患など片鱗もないかのように、異様なほど正気だった。兄を委縮させるのが怖くて、彼は質問するのをやめた。こいつも自分に精神錯乱のレッテルを貼りつけた連中と同じだ、と思われたくなかったのだ。兄は長いあいだ、周囲からある種の仕返しのように理解を拒まれ、精神病者として生きてきた。「僕が知っていることを、みんな恐れてるんだ」と言い、ときどき自分の不安定さについてつらそうに語り、それですべてを失ったことを残念がった。とはいえ、そんなふうにごく普通に昔を懐かしがることは、そう多くなかった。たいていは心のさまざまな階層がごたまぜになり、発狂する以前のことについては忘れてしまっていた。兄はこの混乱の中にどっぷり浸り、理解しようとし、むげに拒絶はせず、正気より大事にし、それで遊んでさえいる。ある日彼は、毎朝兄のベッドの上にいるという火の鳥について冗談を言った。兄はゲラゲラ笑ったが、やがてとまどった様子で彼をまじまじと見て、憮然とした顔をすると、突然走り去った。

そんなふうに彼が大兄さんの混乱と気ままに付き合うことができていたある日、心の底ではいつも疑っていたことが突如露呈した。だがこんな形でとは思ってもみなかったのだ。まるで、玩具のナイフを懐に潜ませていったら、ふと気づくと腹がぱっくりと切り裂かれ、血まみれになっていたかのように。

建築を学んでいると、通りに出て建物の写生をする課題を与えられる。この街は悪魔に支配されていると大兄さんからさんざん聞かされていたので、悪魔的なものを探して写生する候補の建物を眺めてみようと思い立った。風変わりなものを見つけてはとりあえずメモしていく。たとえば、ヌエストラ・セニョーラ・デル・クリスト・サント教会の正面ファサードの窓のステンドガラスには、円で囲まれた逆さ五芒星があり、また、サン・ブラス地区のルエカ通りでは、山羊の頭を持つ悪魔バフォメットの絵があちこちに見つかる。ある晩、アーケードの中の居酒屋でビールを飲みながら思いつきをノートに書き綴っていると、兄らしき人物が神学校に入っていくのを見たような気がした。彼は公衆電話を見つけて病院に連絡した。当直の医師は、たしかにお兄さんはここにいませんが、再三警告したのに患者の自由行動を認めたのは、法定後見人のあなたですからね、と牽制してきた。彼は神学校に戻り、土塀を飛び越えた。庭に面した部屋のどれかに兄がいると確信していた。ずいぶん長い時間待った。この時間、アテナス公園には霧が下り、建物はうっすらと靄に包まれて、樅の木の尖った頂がどこかこの世のものならざる不気味さだった。草の上に座って、窓から漏れる明るい光線だけに目を凝らしていたが、それも消えて建物が闇に沈むと、ますます不安になった。今や街全体が怪しい漆黒の闇に浸されていた。耳に迫ってくるのは、夜のマドリードの途方もない孤独だけだ。人を寄せつけない街の冷たさ、ひとけのない公園、歌の聞こえてこない居酒屋。もしかして兄のほうもこちらをうかがっているのだろうかと思ったが、彼はいつしか眠りこけていて、怒りに満ちたいやな夢を見て、何台もの列車に体を轢かれたような感覚とともに目覚めた。翌日兄を訪ねた。いつもと変わらぬ様子を装い、昨夜のことを尋ねる気もなかったが、兄のお喋りのあちこちに裏の意味があるような気がした。

その週は毎晩神学校の前で見張り、やはり自分の見間違いだったのだと結論しようとしたそのとき、ぶかぶかのコートを着て背中を軽く丸め、大兄さん特有のもたもたした歩き方をした人影が建物に入っていくのを目にした。彼はそれまでの考えを翻し、兄の妄想が創り上げた世界は単なる空想のたまものではなかったんだとふいに悟った。そこには何かある。病気は口実で、みんなに隠れて、いや、自分自身さえ欺いて、別の暮らしを送るための隠れ蓑だったのかもしれない。庭の塀を飛び越え、白いポプラの木や樅の木、アメリカニレの中を進む。前回来たときに犬の吠え声を聞いたわけではないが、柘植の木のあいだから獰猛なマスチフ犬でも飛び出してきそうな気がする。芝に突っ伏して、窓の向こうの様子をよくよく観察した。神学生の誰かに見つかったとしても、ホームレスか公園の泥棒（そんなものがいるとして）だと思っただろう。帰宅したのは夜中の二時で、何もかもひどく現実離れしている感じがして、なかなか眠れなかった。体が震えていた。ヒーターにあてているのに、足がまだ冷たかった。翌日、エミリアとデートの約束をした。彼が木炭でデッサンした、学部の雇ったモデルの一人で、髪の毛は金髪だが恥毛は赤毛だった。その日は授業に出ず、神学校の入口で待ち伏せもしなかった。エミリアをホテルに誘い、自分でも気づかないうちに童貞を捨てた。すっかり舞い上がって、挿入して三秒ともたなかったのだ。それから彼はグロテスクな不機嫌の仮面をかぶった。彼女が何を話しかけてきても答えず、靴下に右手を突っ込んで口のきけない人形の真似をし、何度もトイレに行って扉も閉めずに便をひり出した。エミリアに部屋から出ていってくれと訴えるかのような態度だったが、こんな不躾で情けないやり方をするばかりで、口でそう告げることさえしなかった。じつは自分でもどうしたいのかわからなかったのだ。結局エミリアは彼を置いて立ち去った。今にも何かの発作でも起こしそうだった。彼がそんな状態からなんとか立ち直ったのだとしたら——ずっとあとになってそう思った——、それは風邪を引いて高熱を出し、二週間近く寝込んでいたからだ。おかげで、ばらばらになりかけていた頭のキーが仮修復された。

回復すると、大兄さんと過ごす時間を減らし、土曜に妹と定期訪問するだけに留めようとした。でも好奇心には勝てなかった。ある朝学校をさぼって、精神病院の前で見張った。昼頃兄が、薬のせいで歪んだ顔に珍しく決意の表情を浮かべて出てくるのを見つけた。兄はバスに乗ってオルタレサ地区で降りると歩きだし、たどり着いた先はアスベスト板の屋根の仮設教会だった。中から、男でも女でもない、かといって子供のものでもない絶叫が聞こえてきた。三人の声がし、そのうち一つは兄のものだった。彼は駐車しておいた車に戻った。殺人犯を蹴飛ばしてきたかのように、脚ががくがくしている。大兄さんは何かのスピリチュアルトレーニングのトレーナーなのかもしれない、とふと思う。翌週は、テトゥアン地区の質素な家で、先週聞いたのとよく似たわめき声が静寂を乱し、さらには、あるアパートメントでもまた叫び声を聞いた。彼はそのアパートの入口から廊下にこっそり入ってみた。怯えた顔をした老女が兄のためにドアを開け、兄を見るとまるで聖人でも目にしたかのように十字を切った。彼女は涙さえ流していた。彼は湿気の匂いがする人工大理石の階段で待った。二つの声が聞こえ、一つは洞窟の奥から響いてくるかのごとき声で、もう一つは兄のものだった。二つの声は怒り狂い、激しい喧嘩をしているようで、生きるか死ぬか、その瀬戸際という感じだ。だが、どう考えていいか、彼にはもうわからなかった。イメージも言葉も浮かばず、とにかく全身が激しく震えていた。大学の授業も、彼の執着やスパイ活動を阻んではくれなかった。四か月の学期の終盤になると、学生はさまざまな科目のために、街で建物の写生をしたり、図面を引いたりすることに時間の大半を使うことになった。これは兄の調査を進めるうえで都合がよかった。彼は待ち伏せしながら課題もこなそうとした。突然の馬鹿笑いみたいに目立つ巨大な画板を霜焼けの手で抱え、大勢の通行人にじろじろ見られて、プロの画家なのかと訊かれることさえあった。合格をもらうために超特急で描かなければならず、でも先生に見せると、このスケッチでは基準に合わない、建物を一つだけ選んでその周囲の景色と一緒に描きなさい、と突き返された。

サクラメント教会を見つけたときはすでに時遅しで、緻密な作業ができそうだったにもかかわらず、どの科目でも合格点がもらえそうになかった。設計図を一緒に作成するチームを見つけきれなかったのだ。だから都市研究の課題にはどこかの通りを選ぶほかなく、この教会では〈建築分析〉の科目のバロック様式の項目しか満たせそうになかった。だが、兄の追跡を続けながら取り組めるのはそれが精いっぱいだった。兄はこのところ、この教会に毎日通っていたからだ。

最初の二日間、彼は教会堂内をぐるりと一周し、聖具保管室に近づいたが、そこからは何の音も聞こえてこなかった。幽霊のように中をぶらぶらし、信者たちを、スペインらしい簡素なバロック建築を、入口のフレスコ画を眺めた。フレスコ画には、DNAの二重螺旋に似た銘文入りのリボンを持つ天使たちが描かれ、汚れとも砂嵐とも思える茶色いものを見守っている。二本の矛槍と王冠から成る〈矛槍兵のキリスト〉の紋章が描かれた二枚のタペストリーが壁際に垂れ、それぞれの前に磔刑のキリスト像とマリア像が飾られている。どちらもぞっとするようなしろものだった。

大兄さんは付属の別館へ案内されたようだったが、バルコニーに灯りはなく、声も聞こえなかった。付近の交通量が多すぎたせいもある。その二日間、兄が中に入ったままなかなか出てこなかったので、そのあいだに落ち着いて絵を描いた。教会のさまざまなスケッチをし、周囲の建物も続けて描き込み、都市研究のためにデータを集め、要するに、どのみち落とすとわかっていた科目に合格するようなつもりで励んだのである。図書館で、その教会について調べてもみた。ベルナルド会修道士のために建設されたものだが、古い修道院そのものはもう跡形もない。教会を設計した建築家が不興を買い、工事が始まったのが構想後半世紀も経ってからだったということも知った。設計図がいっさい残っていないのもさることながら、奇妙な記録にも目を引かれた。教会の規模を知るために何度測量しても、得られる数値が毎回異なっているのだという。まるで教会が勝手に移動して、その輪郭をとらえさせまいとするかのように。その逸話は、兄の経歴と重なるように思えた。教会にまつわる伝説もしかりだ。そこには、一七五三年に盗賊に斬首された老人の幽霊が棲んでいるのだという。首のないその老人の幽霊は、誰が犯人か訴えるために、殺された直後にそこに現れたらしい。

まさかとは思うが、大兄さんが悪魔祓いの得意な気狂い司祭になった可能性もあると考えたが、白い長衣を着て聖杯を掲げる役目を担っているのはやはり兄ではなかったし、告解室に入っていくところも見たことがなかった。ただ新たな展開としては、兄が教会を出る時間が日ごとに遅くなり、しまいには夜明けとともに帰るほどで、そのことから推察すると、おそらく中は贅沢なしつらえと思われるその花崗岩造りの大きな教会別館には食堂があり、兄はそこで夕食を食べたのだろう。

木曜日、彼は車から、教会付属の別館の部屋のレースのカーテン越しに兄の影を見た。バルコニーから枯れた棕櫚の葉が垂れ下がっていた。大兄さんはあちらこちらに動きまわっていたが、歩調がどこか不自然で、誰かを追いつめようとしているというか、ボールを蹴って遊んでいるかのようにさえ見えた。やがて灯りが消えた。彼はまた全身に鳥肌が立った。骨や筋肉がすでに察知して予告していることを、頭は理屈で考えるが、はっきりとは理解できない。同じことが三日間連続で同じ時間にくり返され、さらに四日目には教会の丸屋根の灯りが点灯し、その高みに兄のシルエットがはっきりと見えた。丸屋根に内側からはのぼれないはずだし、作業用の通路もたしか備え付けられていなかった。翌日、ミサのあと司祭に、ドーム下部の壁の照明のところまで上がることはできるのかと尋ねてみた。「掃除のときぐらいしか登ることはありませんが、ハーネスが必要です」と司祭は答えた。「でも、あそこに人がいるのを見たんです」と言い張ると、司祭は、すみませんがお引き取りを、と彼をそそくさと追い返した。その晩、空は星一つ見えない不気味な漆黒に塗り込められ、彼はまたしても丸屋根の照明のところに人影を見た。それは兄で、顔の筋肉をぴくりとも動かさず、石のように固まって彼を見下ろしており、もう何時間もそうしてこちらをうかがっていたことがわかった。ふいに兄の影が丸屋根から別館へと移動し、屋内のありとあらゆる部屋を勢いよく走りまわりだした。その影は、薄いカーテン越しにはっきり見えた。その場所にはそぐわない、淫らなカーテンだった。部屋と部屋のあいだに通路などないはずで、まるで壁が全部ぶち抜かれてしまったかのようだった。とうとう大兄さんはバルコニーに枯れた棕櫚の葉が垂れ下がった部屋にたどり着き、やがて街じゅうに怪しい霧がたち込めた。

最上階の部屋

La habitación de arriba

吉報を手にした者は誰しも、言い知れぬ不安を抱く。

シャルル・ボードレール

最初の夜、轟音を耳にし、隣の部屋で誰かが客を殺したか、あるいは自分の体をドリルで掘ったかしたのかと思った。怪物が椅子を天井に投げつけ、穴をあけようとしている可能性もある。隣には部屋はない、というか、メイド長はそう言った。でも、音は壁の向こうから響いてくる。怪物だか機械だかの大音響とともに、二人の男がはしゃいでいるみたいな声も聞こえる。喋っているのは英語だ。つまり、メイド長が存在を否定したその寝室で、家具を使ったやけに乱暴でうるさいセックスの最中だとか？　たとえば、二人の金髪男――英語で喋っているのなら金髪だろうと想像した――の一人が、ストリップしながら、服一枚一枚を野球のバットで洗面台に打ちつける一方で、もう一人はボクシングのグローブをはめて、同じようにそれを殴りつけている。壁に掛かっていた絵を下ろし、そこにシャツを広げてグローブでぼかすか殴る。異様な光景だけど、ありえないことではない。音がやむのを待って、Tシャツだけひっかぶって裸足で廊下に出る。やっぱり部屋はない。その階にあるのはボイラーと、エレベーターのモーターだけだ。

彼女はホテルで住み込みで働いている。給料は安かったが、朝昼晩の賄いと部屋代も込みだから仕方がない。自分と同じような立場で、洗濯室のある地下で寝起きしているボーイが二人いる。彼女は、部屋はもっと狭いけれど、最上階を選んだ。そこなら窓から街が見渡せるから。

彼女は一日厨房で過ごす。仕事は朝食用にスクランブルエッグを作って、保温容器《チャフィング・ディッシュ》に入れることで始まる。黄色いかたまりは、朝七時から十時半までずっと温かい状態で提供されるが、誰かが蓋を開けっぱなしにして、ボーイたちがそれに気づかないと、せっかくほかほかだった卵が冷めてしまう。それはベーコンやソーセージ、ベークトポテトでも同じだ。彼女はポテトをタイムで味付けする。そういうイングリッシュ・ブレックファストもどきの料理は、あまり売れ行きがよくなかった。このホテルには外国人客はそう多くない。大半は、目の前にある建物で開催される展示会のために他県から来るビジネスマンなのだ。その建物は、設計したある有名建築家がファサードを耐候性鋼の厚板で覆ったことでよく知られていて、これによってその建築家は、地元新聞やテレビで手厳しく批判された一方、同じくらい熱烈に賞賛もされた。とにかく、錆だらけに見えるそのしゃれた建物へこのホテルから通うような人たちは、イギリス風の朝食より、トマトとハムをトーストにのせてオリーブ油を垂らすほうを好む。たとえハムの味が最低であっても。

だけど、そもそもおいしい料理なんて今まで出したことがあっただろうか？　ときどき、メカジキのソース煮やヒレ肉のカツレツを咀嚼する客たちの悲しげな顔を見ると、申し訳ない気持ちになる。料理人は二人で、ブルゴス出身の五十代の女性と彼女だ。二人とも腕は悪くないが、氷山みたいなレタスと核爆発から誕生したようなトマトではおいしいサラダなんて作れない。缶詰の人参とビートは煮込みのソースにまんまと酸味を加える。細ソーセージ《サルチチャ》には硬い豚肉のかたまりがごろごろ入っていて、縞模様を作っている。ポテトサラダの野菜は、茹ですぎたわけでもないのにいつもふにゃふにゃで、マヨネーズは口の中が酸っぱくなる。太ソーセージ《ロンガニーサ》からは致命的な脂が染み出ているし、スペイン風オムレツ《トルティーリャ》には朝食の残り物のベークトポテトを使わなければならず、タイムをちまちまとつまみ出したあと、やはり朝食で残ったスクランブルエッグと牛乳を混ぜる。フライパンにわずかなりともオリーブ油を入れて風味を加えることも許されない。大きな袋に入って届く魚はすでに水気を失い、メルルーサとタラの区別もつかない。唯一自分用に作ろうと思うのは野菜サンドイッチだけで、卵を茹でるか目玉焼きにするか選べる。後者を選ぶと、薄切りパンの穴から黄身がとろりと垂れて嬉しくなる。彼女はほとんど毎日サンドイッチを作って食べ、昼食は目玉焼き、夕食は茹で卵にすると決めている。週に一度はメニューに載るレンズ豆のスープを除けば、煮込み料理はどれも耐えがたい。毎日午前中はテトラパックのオレンジジュースでなんとか体をもたせる彼女としては、水曜日においしいレンズ豆のスープを前にすると、ほっとため息が出てしまう。そのうえ、ブルゴスの料理人と彼女は、メニューに載せる料理について詳しく手順が書いてあるレシピ集に従うしかなかった。そうして作られた料理は、バーに置かれたショーケースに、虫の死骸みたいに並べられる。電気工の夫と二人の子供とともに町で暮らしているブルゴスの料理人は、このほうがいいのよ、と言った。こんな最低の材料で何か少しでも胸を張れるようなものを作ろうとするのは、ストレスでしかないもん。

最初の週、彼女は食べ物が喋る夢を見た。まるで宙をふわふわ浮かんできたかのように、冷凍のアーティチョークや洋服簞笥サイズのグリーンピース、生白い鶏胸肉が彼女の部屋まで上がってくるのだ。それらは一つひとつ現れて、さまざまな声で喋りかけてきた。声以外はぼんやりしているくせに、彼女をぎゅうぎゅう押しつぶした。その記憶はのちのちまで残り、午前中、タパスで出すレバーペーストのためにニンニクをみじん切りするあいだも、それが夜にまたあの隠れ家にやってくるかと思うと胸苦しくなった。ちっとも隠れていないあの部屋をどうして〝隠れ家〟と呼ぶようになったのか、自分でもわからない。窓は大通りに面していて日当たりもよく、気球で暮らしている自分を空想した。確かなのは、こんなところまで上がってくる者は誰もいないということだった。もし脳卒中を起こしたら、誰か助けに来てくれるのかな？

隠れ家にいると、〝誘拐〟ということもつい考えた。わたし、自分で自分をこの部屋にかどわかしたとか？　食材が、水とソルビン酸でふくらんだ巨大トウモロコシの粒たちが、わたしを囚われの身に？　そうなのだという気がした。だからカニカマやソラマメ、チョリソーの白ワイン煮の悪夢を見るのだ。チョリソーは部屋の床をつるつる滑りやすくする。ときどきスリッパが油で滑ってすっ転び、そうすると服を捨てなければならない。ホテルの洗濯機では赤い油染みが取れないからだ。彼女は夢の中でそのまま服を着ずに過ごし、夢で着ていたその服を実際になくしたのだと何日も思っていたが、引き出しを開けてみたらそこにあった。

夢の強烈さは、日常のつまらなさと対照的だった。彼女はホテルを機能させる見えない歯車の一つだった。とくに目立たず、美人でも不細工でもなかったので、メイドたちに嫉妬されることも、フロント係に口説かれることもなかった。あんまり平凡でどこにでもありそうな顔立ちなので、たまに厨房から出ていったときにも、客たちは今食堂を人間が歩いていることに気づかなかった。

　ある晩、壁を流れる川をワニが歩いている夢を見た。ワニはアフリカのどこか遠いところから来たのだ。とはいえ、インターネットや格安航空会社がある現代、実際にはちっとも遠くはないのだけれど、夢の中では世界は無限に広がり、謎めいていた。この夢の感じは自分の幼少期に根源があると思ったが、やがてその考えを捨てた。彼女の子供時代は全然あんな雰囲気じゃなかった。夢の中の空気はじめじめしていて、これとはっきり特定できない、心地よくも不快でもない、あまり嗅いだことのない匂いがしていた。ちょうどハバナに行ったときのような感じ。とはいえあのハバナの匂いにはむかむかしたのだけれど。それに、アフリカのどこか遠いところというのは、じつはブラジルのどこか遠いところなのかもしれなかった。でもこの疑いはいきなり浮かんできたものだ。痩せぎすであまり見栄えのよくないブラジル人が何人か、ホテルに滞在していたのだ。全員が、胸に小さなワニが刺繍されたラコステの白いポロシャツを着ていた。

　北風の冷たい朝方、風ときんきん響く叫び声の夢を見た。北風は彼女の体や骨を締めつけ、黒板を引っ掻くチョークのように関節をきしませ、血を沸き立たせて竜巻を巻き起こし、舞い散った血飛沫《ちしぶき》は幾千もの赤い雨となって降り注いだ。関節にガタのきた彼女の体と街の音に、支配人の姿がまじった。彼は裸でロビーを歩いていて、フロントに向かおうとしているのだが、どうしてもたどり着けない。みんなが彼を見ているが、それでいて見ないふりをしている。アビシニアの代表団が到着するまでには服を着たほうがいいと彼にもわかっているのに。

目覚めたとき、自分は他人の夢を見ていたのだと確信した。たぶん支配人の夢だ。彼が昨夜ホテルに泊まったということも確認した。彼女と支配人のどこに接点が？　支配人は夜八時半にいつも仕事をあがる。住んでいるのはニュータウンだし、ときどき言葉を交わす程度だ。話をするのは展示会にビジネスマンの団体が来たときで、食事の量を増やさないと朝食が滞ってしまうからだ。だから支配人はブルゴスと彼女に前もって知らせる。いつも決まって冗談を飛ばす。「最近仕入れたジョーク聞くかね？」と彼は言う。上司だから、彼女はお義理で笑う。支配人がいい人だから、ということもある。

別の日には、気休めのためにラジオに電話をかけた女性の夢を見た。息子が癌で死んだばかりだった。その番組にはホスト役のほか、彼女の悲劇を笑い飛ばす合唱団がいた。女性はその合唱団から許しを請おうとしていて、禍々しい話だが、どうやら馬鹿にされることで許しが得られるようだった。その夢の中で起きたことが、普通の夢のロジックとは違って、隅々まであまりにもくっきりしていたことにぞっとした。彼女は目覚めたとき、劇場で芝居でも観たかのように、情景を書き留めた。

　昔はものを書くのが好きで、とくに詩をよく綴っていた。十六歳のとき、あなたって想像力豊かねと言ってくれた女友達に、自分の詩を読ませた。ある日、二人の共通の知り合いから、彼女はあなたのいないところで、あの子の書く詩はひどいものだけれど、かわいそうだから何も言わないの、と言ってるよ、と聞かされた。それ以来、詩は書かなくなった。べつに創作をあきらめたわけでも、その女友達に腹を立てたわけでもない。詩を書く前は、木の板にせっせと青いオーデコロンの瓶を描き、瓶のラベルに〈ハワイにて〉と書き込んだものだった。同じように、キーボードを買って、子供の時に習っていたピアノを思い出してまた弾き始めたりもした。

　すでにキーボードもやめてしまった。人と自分を区別するたぐいのことすべてと同様に。そういう区別には吐き気がした。マラガで役者と同棲しながら美術学校で一年間学んだあとはとくに。あの頃、まわりのみんなが、彼女の身の上――生活のために働いていたのは彼女だけだった――や野心のなさを馬鹿にした。それで美術学校を辞め、ウエスカの実家に戻ってホテルで仕事を得た。彼女には、お金のないことがありがたく思え始めた。母は憤慨した。なぜなら、いつだって彼女と妹を人とは違う誰かにしたがっていたからだ。二人を音楽学校に入学させたのもそのためだ。妹は彼女より先にピアノに見切りをつけ、今では有名ヘアサロン〈マルコ・アルダニー〉で美容師をしている。

ラジオ局に電話をした女性の情景は、なんだか好きになれなかった。不遜に思えたのだ。それでもメモを破り捨てはしなかった。やけに鮮明で、いきいきしていると気づいたからだ。その情景そのものがではなく、夢が始まる過程や文章を通じて感じるものが。じつは夕食の時間、ある女性客がブルゴスに、長男を胃癌で失ったので、息子と同じように死ぬためにできるだけのことをしていると話しているのを聞いた。ブルゴスが厨房から食堂に出ていくはめになったのは、その女性客が三度にわたってヒレ肉をもっと焼いてくれと頼んできたので、肉を実際に焦がしてしまう前に、彼女が本当に黒焦げの肉を所望しているのか確認するためだった。女性客は、焦げた肉は癌の原因になるのよとブルゴスに説明した。細胞を癌化するために、せっせと酒を飲み、煙草を吸い、焦げた肉を食べているという。ブルゴスは「でもお客様……」と口ごもった。客はぴしゃりと言い返した。

「でもお客様、はけっこう！　私は誰にも迷惑をかけていません。肉を焦がしてと頼んでいるだけ。そのためにお金を払っているの」

この女は頭がおかしいか、人の注目を集めたいか、その両方だろう。支配人の夢を見たのと同じように、この女の夢を見たのだと彼女にはわかった。同じように、巨大赤ちゃんニンジンやら何やら食べ物が出てくる悪夢も、自分の経験にもとづいているのではなく、展示会開催中に、食事のクーポン券がホテルの惨めなカフェテリアでしか使えないので仕方なくそこに逗留していた、どこぞのビジネスマンのものだともわかった。丸い目をした、定年間近の禿げ頭の男を想像する。ひどくつらい人生を歩んできた男だが、きりっとした濃い眉毛が悲しげな表情をごまかしてくれている。しなびたマッシュルームのせいで食欲をなくし、不機嫌になったのだが、それは同じように食欲を失わせ不機嫌にさせられる、妻との干からびた関係を思い出させたからだ。

夢はどんどん増えた。一晩で違う客たちのいろいろな夢を見、翌朝、彼女のベッドにやってきた影法師と一致するのは誰かはっきりさせようとした。女を淫らに追いかけまわす夢を見たが、その夢のきっかけになったのは、すぐに戻るからと言い置いて姿を消した、あの中年のアンダルシア女性のような気がする。夢の主《ぬし》はたぶん男だろう。夢を見ている人の性別は必ずしもはっきりしない。無意識領域にとっては、性別などどうでもいいのかもしれない。それに、たとえば夢に男の子が現れたとして、それが夢主の息子なのか、孫なのか、甥なのか、あるいは兄弟なのかさえわからない。惰性で日常が再生されているのか、すべてが淡々と進んでいくことも多い。ガチャガチャと踊り狂うダンス人形を背景に人でごった返す玩具フェア、ドライブ旅行をして途中モネグロス砂漠のサービスエリアで休憩する様子、変形してしまったスーツケースで慌てて荷造りをする誰か。

夢の主を探すのは疲れる作業だった。夢主のことをいろいろ知っているが、同時に何も知らないのだから。たぶん母親だと思われる中年女にいじめられる夢を毎晩のように見る男がいるとしても、その男についてわかるのは、彼もまたありふれた葛藤を抱えているという事実だけだ。人々が隠していること、彼女自身も他人に見せないようにしていることは、じつはどれも平凡な問題で、そうやってあえて伏せたり、必要以上に悩んだりするせいで、異常なものに変化する。

ある日また夢を見たが、いやな夢だった。怒り狂った犬みたいな印象で、彼女はずたずたに嚙みちぎられそうな気がした。彼女自身が夢の中に現れ、実際その姿にもあちこちに亀裂が入っていた。ヒップがしぼみ、足が短かった。顔にハエの脚みたいな黒い皺が寄っていて、深くあいた襟元から、猫背になりそうなほど豊満な品のない胸が覗いている。いわゆる〝ゼーゼー音〟のために彼女のことを夢に見ているのは、男だとわかっていた。ちなみにこの〝ゼーゼー音〟とは、人の呼吸音そのもののことではなく、お楽しみ中の男たちのイメージと切っても切れない言葉として使っている。ある晩は、この男がテルエル出身のパン屋として現れ、彼女を海沿いの村に誘った。白いエプロンと紙製の帽子をかぶった男は、海辺に窯を持っていて、現在は煉瓦工場として使われている。電気も水道もない家に連れていかれ、彼女はそこが宿だろうと推察する。男は一緒に過ごすつもりらしい。男の期待はあらかじめ打ち砕かれていると彼女は感じた。彼女自身の気持ちを伝えるすべはない。夢の中の彼女はただの冷たい体であり、何歳も年上で、髪が縮れている。目覚めたとき、うっすらと不安を覚えた。夢主が誰であろうと、少しも魅力を感じない。

彼女が登場するその男の夢はどんどん頻繁になっていった。男はいつもパン屋というわけではない。彼女を自分の住まいに隠す老人だったり、アタッシュケースを持った、スーツにネクタイ姿の外科医ということもあった。旅行関係の仕事でよくホテルに来る客たちを調べた。経済危機は続いているが、この町は幸運だった。有名な現代美術館の別館がまもなく開業予定で、今後数年は観光客が三倍になると予想されていた。

客を観察するには、厨房の小窓から食堂を覗く。ときどき朝食のビュッフェに硬いメロンや小さなチーズが盛り合わせになった大皿を持っていくこともある。見本市の客が大挙してやってきて、食堂内は騒然としており、出入口近くか窓際の席に座っているお一人様の客は、クロワッサンにバターを塗ったり、ＳＮＳに返事をしたり、地方新聞をめくったりするのに集中しているふりをしている。

彼女は、食事時間のあとの三時間の休憩を挟んで、朝七時から夜十一時まで働き、そのあいだ髪の毛はずっと白いヘアネットの中に押し込まれている。髪は頭蓋骨に張りつき、ボリュームもつやもなくなる。休憩時間は部屋に上がって昼寝をするか、散歩に出かけるが、とくに北風の強い日は必ず外に出る。強風が吹き荒れていると、通りには行き交う車ぐらいしか見当たらない。店は夕方の五時半まで閉まり、人々は日除けシェードが飛んでくるとか、そうした狂気の沙汰が恐ろしくて家に避難する。彼女はひとけのない広場にいると落ち着いた。そこでビュンビュン響く風の音を聞き、夜行性の動物が踊っているところを想像する。向かい風で髪がなびき、この北風だけが、ヘアネットによって生気を奪われた頭髪を生き返らせてくれた。乱れた髪はアナーキーで、きらきら輝き、もつれて、冷えきった体を温めるために熱いシャワーを浴びたあと、やっと髪のからまりもほどける。

給料はほとんど全部貯金していた。使いみちもなかった。休日が訪れたときには、もうへとへとだった。週に二日の休日の代わりに、八日まとめて休みを取るように言われたからだ。でもそれはそれでありがたかった。彼女の疲労度にはどこか不思議なところがあった。ときには夜までオレンジジュースしか口にしなくても平気だったり（そんな夜は目玉焼きをのせたサンドイッチがご褒美だが）、いつもと違う大都市のイメージを追いかけて北風の中を散歩することでほっとしたり。実際には自分が何を感じているのか、まるでわかっていなかった。休暇のあいだ、彼女はウエスカで母や妹と過ごし、家族との会話や、ジャガイモとリブロースのシチュー、食後にみんなで観るテレビなどでくつろいで、夢は見なかった。それで、あのホテルの最上階の部屋に何か魔力があるのだと思うようになった。その魔力によって、他人の夢があの部屋までのぼってきて彼女の頭の中に侵入する。きっと仕事を変えたとたん、元通りになるのだ。

　夏が来ようとしていた。北風はあまり吹かなくなったが、日差しが狂暴になり、風が吹いたときと同じように街は閑散とした。近頃ではブルゴスの料理人の夢を見るようになり、うんざりしたり不愉快だったりする以上に、気まずかった。とはいえ、ブルゴスがふだん見る夢に彼女はまず出てこないのだが。たとえばある夢では、ブルゴスの手や腕がこねた小麦粉だらけだった。でも、シャンパンのグラスを汚さずに客に出さなければならない。食堂にトレーを運ぶあいだも、肌から白いべとべとしたものがぽとりぽとりと落ちる。厨房から出たとたん、人差し指と親指だけは汚れていないことに気づき、これならグラスに指の跡をつけずにすむと思う。

でも知らず知らずのうちに指を動かしてしまい、人差し指と親指も汚れてしまう。あとはもう奇跡が起きるのを信じるだけだった。ガラスに小麦粉がつかないことを祈りながら、白い手でグラスをつかむ。もちろんグラスにはべったり汚れがついたが、ブルゴス女はくじけない。客が白い汚れに気づかない可能性だってある、と思う。上品に着飾ったこういう連中は、料理人というのは年じゅうピザ生地をこねているものだとでもいうように、彼女の腕が小麦粉で汚れていても気に留めない。それでブルゴスの期待も高まった。この人たちには小麦粉の汚れなど目に入らないかもしれないし、これはもともとグラスについていた模様か何かだと見なすか、乾杯するときにグラスのどこに指を置くべきかレストランの支配人が親切にもつけておいてくれた印だと思うかもしれない。そうやって、気まずいマナー違反を見逃してもらえないものか。

ブルゴス女は夢の中で、そこにたとえ彼女がいなくても、悪いのはあいつだと思っている節があった。彼女は、ブルゴスが激しい怒りをぶつける標的になっていた。夢の中のことだから意味などないとも思わなかったし、その逆だとも思わなかった。ブルゴスは眠っているあいだだけ彼女を憎んでいるのかもしれないが、そうでない可能性もある。ブルゴスを信頼していたから、そんな疑念が生まれたことに彼女はとまどった。特別なことは喋っていないけれど、北風が吹いたときに散歩することをもし打ち明けていたら、恥をかいただろう。ブルゴスはべらべらとよく喋るが、やはりたいしたことは話していない。小鳥の羽ばたきみたいなお喋りだ。つまり、すっと空に舞い上がって、ほとんど目に留まらない。彼女にはやさしい口笛のように聞こえ、その音が彼女を守っていると思えた。何から守ってくれているのかはわからないけれど。午前中のシフトに入っているフロント係からかもしれない。そのフロント係は彼女たちと一緒に朝食を食べながら、メイド長のお尻や声、髪の染め方をこき下ろした。黒く染めすぎて、ロビーのＬＥＤの照明に照らされるとぴかっと青く光るのよね。この性悪は、彼女たちがいないところでは彼女たちの悪口を言っているのだろう。

彼女を不安にすることがほかにもあった。今では、彼女が夢に見る他人の夢が、下のほうの部屋から彼女の部屋まで上がってきているのかどうか、確信が持てなくなっていた。今起きているこ とがこのホテル限定の出来事であり、今の部屋を出れば元に戻るのでなかったら、他人の夢から二度と逃れられなくなるかもしれない。そう思うと別の考えが湧き出し、考えながら彼女はあてもなく通りをさまよい歩く。通りの往来は、眠っているときの彼女の頭の中のようだ。人々が押し寄せ、彼女の精神活動に侵入してくる。自分がどの通りを選んだのか、どうやってそれを選ばされたのか、はっきりしない。ホテルにたどり着いたときも、自分の意思が彼女をここに導いたのか、それとも単に偶然ここに到着したのか、わからなかった。どのくらいの時間、歩きまわっていたのかも判然としない。彼女を迎えた副支配人は、胸で腕組みをしていた。彼女は鏡を見て、くしゃくしゃになった髪に、裾が黒く汚れたシャツに、胸の中央にくっついている小さな草のかけらに、手がかりはないかと探す。おそらく何日ものあいだ放浪して、顔にもその痕跡がありありと残っているのではないか。頬が黒く汚れ、腕は痣だらけだとしても不思議ではない。鏡の中の顔はひどく蒼褪めていて、髪の毛は金たわしのように爆発している。恐竜並みの北風に襲いかかられたかのようだ。肌には血の気がなく、透けているようにさえ見え、シャツのボタンが三つ消えていて、ジーンズはまるでディスコの床でも磨いてきたみたいだ。北風に吹かれていたのかどうかも覚えていなかった。実際、何一つ覚えておらず、空腹で、今にも気絶しそうだった。

「もしまた同じことをしたら、クビだからな」副支配人が言った。「君は助かったんだ。会議場で何も催しがなかったし、トリーニが一人で全部やってくれたから。それで、何なんだ、そのなりは？」

何か言いたかった。副支配人に謝罪し、二度とこんなことはしませんと約束する。迷子になって不安でどうしていいかわからず、体も衰弱して、道端で気を失ってしまったんです。そう考えれば、こんな姿になったことも記憶がないことも、説明がつく。でも言葉が一つも出てこなかった。声がかすれて、喋ろうとしても呻き声が漏れるばかり、みたいな痛々しいことになるのが怖かった。オフィスの白っぽいカーテン越しに、静かな夜の気配を感じる。副支配人は、会計処理をしなければならないときなど、ときどき遅くまで仕事をしていることがある。今日はそういう日なの？　それとも、もう冬になってしまったとか？　だとしたら、まだ早い時間なのにこんなに暗いのも納得がいく。でもそれはありえないことだ。彼女の頭の中ではどんなことでも起こりうるとはいえ。第一、何か月も街をさまよっていたのだとしたら、副支配人にも、ホテルに現れた女が彼女だとわからなかっただろう。素肌の腕をそっとまさぐる。産毛がまるで鶏のそれのようだ。副支配人は、黙り込んでいる彼女をおかしいとも思わずに下がらせた。いつも口数が少ないから、黙っていても誰も驚かないのだろうか？

携帯電話を充電すると、翌日の午前十二時四十三分と表示された。丸一日、無駄にしたということだ。次の朝、ブルゴスの料理人は彼女が姿を消したことを少しも咎めず、いなかったことを忘れているのかもしれない、と彼女は思った。毎日同じことのくり返しなので、記憶が飛んでしまうのだ。でもやがて、彼女の考えはもっとひねくれた方向に向かった。もしかして、認知症か何かじゃない？　彼女は、ブルゴス女が荒野に停めた車の中にいる夢を見た。陽が高く昇ってまぶしく輝いていたが、その一帯を暖めるどころか、どんどん冷え込ませ、ブルゴスは、生まれたばかりなのに死にかけている生き物のように身をよじった。その夢の中では接点がないはずの彼女に、ブルゴスが向けてくる憎悪をひしひしと感じた。そういうよじれた夢の中で示されるそれほどまでの憎しみは、現実世界と何かしら呼応しているはずだと彼女は確信した。だとしたら、とても耐えられない。ホテル住まいすることと他人の夢を見ることのあいだに関係があるかどうか、まだわからなかったので、彼女はときどき外で夜を過ごしてみることにした。他人の夢ときっぱり縁を切ろうと決めたのは、七月の終わりのことだった。

夏の夜は、ホテルを脱け出すには好都合だった。初日は、強盗に遭ったりするのが怖かったので、繁華街のベンチを選んだ。土曜日だったから、酒場を梯子する人がまわりに大勢いた。二人の女の子が近づいてきて、気分が悪いんですかと尋ねてきた。四時まで眠れず、おぼろげに見た夢では騒音が鳴り響いていた。だから自分の夢か他人のものか判別できなかった。四日後、またこっそりホテルを出た。今回も中心街から離れる気にはなれなかった。お祭り騒ぎをしている者はあまりいなかったが、目抜き通りやそれが通じている広場は選ばずに新開発地区に向かい、パブの正面にあった花壇のベンチで横になった。でもその前に、店の中を覗いてみた。カップルのほか、男の一人客も何人かいて、どう見てもアル中だった。パブから九〇年代スペインのヒット曲がメドレーで流れてくる。ソフトな音、緊迫した音、割れた音。シンクに満たした水に、脱毛したばかりの脚を浸す夢を見た。毛穴の赤みと内側から広がるぬくもりが、波のようにひたひたと彼女の心を静め、何か大事なことが解決した。携帯電話のアラームが鳴る直前に目覚め、カーディガンに鳥の糞をくっつけてうきうきしながら帰った。足先が冷えきっていた。あたりにはまだ夜が息づいていて、昼間より七度も気温が低い。朝九時、朝食のビュッフェにハムとチーズを補充しながら、もう汗をかいていた。日光の熱が壁から漏れつつあったうえ、この階のエアコンが壊れていたからだ。

解決の糸口がうっすら見え始めている今、疑問を持つ意味ももうなかったけれど、何か月ものあいだ自分の人生の一部を奪われていたのだから、これでよしとしてしまうわけにはいかなかった。火曜日の真夜中過ぎに起き出し、ネグリジェを着たまま――赤い色なので、人が見ても普通の服と勘違いしてもらえそうだった――街に出た。ある教会の壁に固定されたベンチを選んだ。そこは居心地がよく、古びた感じが中心街の建物のすぐにだめになる安っぽさとは一線を画していた。ちょっと横になったとたんに眠ってしまい、目を開けたらもう夜明けだった。あたりには誰もいない、そんな気がした。車の音さえ聞こえなかったし、夜明けのすがすがしさは、すべてをぎゅっと包み込む空の下でたちまち消え失せてしまうだろうが、空気ではなく、宇宙から来るもののように思えた。彼女は立ち上がった。いきなりパトカーのサイレンが宙を切り裂く。耳にわんわん響く普通とは違う音階のメロディーでも奏でているみたいに、しつこく、いらいらする音だ。静寂は失われた。鎧戸を上げる音や車の行き交う音が轟き、寝起きの町が伸びをしている。彼女はホテルへ走り、遅刻して到着した。フロント係がべたべたした悪戯なまなざしを送ってきて、「ずいぶんかわいい服だね」と言った。彼女は返事をしなかった。部屋に上がってすぐに制服に着替え、顔も洗わずに厨房に下りた。昨夜、ブルゴスの夢は頭に侵入してこなかった。実際、夢を見たのかどうか思い出せなかった。とはいえ、目覚めたとき、街が建築模型になってしまったかのように、周囲がやけにがらんとして感じられたのは、忘れていた自分自身の夢特有の感覚だった。

次回のために、もっと準備をした。中古のキャンプ用マットと薄手の毛布を買い、それで夜の寒さとならず者から身を守る。毛布を頭まですっぽりかぶれば、連中はホームレスの女だと勘違いしてくれるはずだ。それで強盗被害に遭わずにすむ。やせっぽちで、体にカーブらしいカーブがないこの体にそそられる者もいないだろう。そのうえこんなぼろ毛布をまとっていれば、誰もその気にはならない。川辺か公園で寝ようと思った。できるだけ居心地がよく、ゆっくり休めそうな場所を選べば、夢を完全征服できるはず。でも、川岸には蚊の大群がいるということを考えに入れていなかった。やつらは一晩じゅう、彼女が頭まで毛布をかぶってからも、耳元でブンブン飛びまわっていた。虫どもは節操なく血を欲しがり、彼女はほとんど眠れなかった。ホテルに戻ったときには全身虫刺されだらけだった。まぶたまで食われてボールみたいに腫れ上がり、メイドが救急箱で見つけた軟膏を塗ってくれた。公園や川岸で寝るのをあきらめ、以前はスラム街のあった空き地の上に最近建設された、橋の下に避難することにした。白くて美しいその橋は、鉄道の駅と、六か月後に開業する有名現代美術館の別館を結ぶものだが、その下の空き地は近隣の子供たちがサッカーをしたり、寝転んで空を飛んでいく飛行機を見たりする役にしか立っていなかった。それでも、それはこの町にとって一大プロジェクトであり、そう宣伝されていた。一時間以上かかって到着し、小便の強烈な臭いを発散している橋脚の下にたどり着いて横になったとき、都市を体にひしひしと感じた。建物と建物をつなぐ巨大な円形の歩道を築くコンクリートの表面は、ホテルの彼女の部屋を思い出させた。つまりとても例外的な状況、どんな合理的な空間からも乖離した場所ということだ。こんなとてつもない広がりを持った場所でどんな夢を見るのかと思うと、怖くなる。何千何万という人々の夢が押しかけてきて、頭がパンクして粉々になってしまうのでは？　前者については間違っていなかった。小便の臭いから逃げるように橋脚から離れると、たくさんの夢の断片を一気に受信した。彼女はそれらを、あらゆる場所に遍在することができる超能力者のように眺めた。目覚めたとき、彼女は粉々にはなっていなかったが、たしかに頭の中には自分のものではないたくさんの記憶があり、でも覚えているのは切れ端ばかりだと気づいた。自分自身のどこかで、そうした夢が何度も再生されていた。夢の侵入によって、彼女は自分が蹂躙されたというより、静かで穏やかな境地になり、その空き地がウエスカの実家と変わらない大きさに縮んだように思えた。朝に家を出る群衆を描写した詩を思い出した。一日を始め、出勤し、喪に服す時間が来たときの詩。覚えているのはさわりの部分だけだ。

一時間が経った、ちょうど一時間が、
百万人の人々が出かけようとするそのときから
一時間が経った、朝七時半から、
百万人の人々が出かけようとするそのときから

ずいぶん前、都会をうたった詩を紹介していた〈ラディオ3〉局の番組でこの詩が読まれたことがあり、彼女は書き留めたのだった。アナウンサーが選んだ中にウエスカについての詩がなかったので、彼女は意外だった。ウエスカだって都会なのに、と彼女は思った。それからまた詩を書くようになったのだ。ホテルで働きだしたとき、部屋の窓から見える景色は、たしかにあの詩の中に描かれていたものだと思った。毎朝決まった時間になると出かける百万人の人々がいた。白い橋の下で、永遠に向かって突き出された巨大な舌のような空き地にいる今この瞬間にも、それ以上の人々がオフィスへ、診察室へ、建築現場へ向かっているはずだ。あまりにも大勢いるので、もし数えたら天文学的な数字になるだろう。仕事に戻らなければならないが、どこか遠くにいる人々、家のベランダや通りにいる人々が頭から離れない。それに、この空き地に誰かやってこないかと待っていた。しばらくしても、そのコンクリートの荒野には相変わらず誰もいない。近くのマンションの住人たちはそこに足を踏み入れるのを避けているかのように。犬の散歩をする人さえ、その脇を縁取る枯れた芝生の狭い境界線を越えようとしない。誰かがここの場所に足を踏み入れ、目の前にやってくるまで、ここから立ち去れないとわかっていた。

少年が、とても離れているのでここからだと親指ぐらいの小ささにしか見えなかったが、狭い緑地に近づき、こちらをじっと見ていた。あれは人かそれとも人形か、見極めようとしているのだろう。携帯電話に副支配人から着信が何度もあった。解雇《デスペディーダ》されるなと思ったけれど、〝放り出される《デスペディーダ》〟という言葉は、ホテルを追い出されるというより、あの窓から見えるあらゆる通りに向かって身を投げるイメージに響いた。そして、その通りに住む住人たちの夢が、目をつむると彼女に襲いかかってくるだろう。一瞬、懐かしくなる――ホテルの自分の部屋が、清潔なタオルが、早朝のシャワーが、混じりけのない憎しみを抱えたブルゴスの料理人のことが、自分の喪失そのものが。そういうすべてのものに対して、自分でも何かはっきりわからないもののために、彼女は今逆らっている。少年はさらに何歩か進み、そこでまた立ち止まった。そのあとまた小さく一歩進む。あの少年がそこまで用心するのは、この空き地のせいか、それとも彼女のせいなのか、と自分に問う。たぶん近隣の人々はここをこんな不毛な空間ではなく公園にしてほしいと思っていて、ボイコット運動を展開しており、子供たちにもそう教え込んでいるのだろう。あるいは、橋の下で人が寝ることに慣れておらず、早朝からこの界隈に静かに噂が広がっていたのかもしれない。あの下で気のふれた女が寝ている、と。少年はそろそろと歩き続けた。でもいよいよ近くにたどり着こうとしたそのとき、彼女は立ち上がり、そこから立ち去った。

メモリアル

Memorial

彼女のもとに通知が届いた。白黒写真の一部。ほっそりした形のいい鼻と、頬が片方。耳の輪郭には見覚えがある。顔全体は見えないが、それでも彼女が食事を三度吐き戻すには充分だった。ユーザーネームも胃酸が逆流した原因だった。Apep Otein。

そもそも偽名というところがいやな感じだけれど、それだけではこの不安の説明がつかない。胸がざわつき、つい五日間ぐずぐずして、それからようやくスマホのフェイスブックのアイコンをタップした。その瞬間、不安が恐怖に変わった。そこに現れたのは、二週間前に他界した母の顔だった。ユーザーネームも、母の名前を逆から読んだものだと気づいた。Apep Otein＝Pepa Nieto（ペパ・ニエト）。

写真は七〇年代のもので、なんなら腕を一本賭けてもいいけれど、最近は居間の書棚のアルバム自体、まったく動かされたことがないはずだ。それに、アルバムを開く可能性があるのは父だけだが、母の二十七歳のときのポートレートを使い、名前を逆から綴って、父がフェイスブックにアカウントを開くとはとても思えなかった。急に頭がぼけてしまったとすれば別だが。

彼女は父親を二日間監視した。悲しみ方におかしなところはないと思った。内に秘めた悲嘆、よるべのなさ、母がいつも忙しく立ち働いているはずの家のあちこちにその姿が見えないとまどい。気持ちがまわりの変化に追いつかないような感じ。父がいたずらの犯人でないことは間違いなかった。

Apep Oteinには友達がいなかった。経歴欄にはペパ・ニエトの写真が貼りつけられているだけで、あとは真っ白だ。たぶん彼女にしか友達申請をしていないのだろう。申請は承認せず、でもブロックもしなかった。常識で考えればブロックすべきだったけれど、こんな悪質ないたずらを考えたやつは誰か調べ、勝手に母の写真を使ったり名前の綴りを逆にしたりしたことを咎めたい気持ちのほうが強かった。

元彼の彼女にストーキングされて以来、フェイスブックにはあまりアクセスしていなかった。ストーカーが誰かわからなかった数か月、相手がアカウントでは男性としてふるまっていたこともあって、通りで襲われるのではないかとびくびくしていた。頭のおかしい女のしわざだったと知ったとき、臆病な自分自身のことも恐怖についても笑い飛ばした。とくに恐怖について。

自分がまた〝ストーカー〟という言葉を使ったことにぞっとした。口に出すとそれが現実になるとでもいうように。恐怖をつい軽んじてきたのは軽率だったし、今になってそういう向こう見ずな態度のせいでしっぺ返しを食うような、これが本当に重大な事態だったら、と思うと怖かった。

彼女は相手からのメッセージを待った。Apep Otein のプロフィールの背後にいるのは、家に侵入してアルバムを物色し、この写真を見つける行為にまでおよぶ恐ろしい犯罪者だと、それではっきりするだろう。

しかもその写真は適当な一枚ではなく、無数にある母の写真の中でも彼女のお気に入りのものだった。子供の頃、彼女はよく、その一枚を何時間もうっとり眺めた。彼女が生まれる前の一九七五年のその日こそ、母の最高の瞬間だとでもいうように。午後じゅうそうして夢中で見つめることで、彼女は早めに自分の将来を手に入れようとしたのだ。写真を食い入るように見つめれば、二十七歳のときの母と同じ顔立ちに、当時の自分とは遠くかけ離れた（彼女はどちらかというと父に似て、どんくさくて、ずんぐりした体形だった）やさしげな美人になれるはず。小学五年生までは、将来は自分がそのポートレートの主役になりたいと、そればかり願った。

思春期になって魔法が解けると、願望は恨みに変わった。母の鏡に自分を映したくないという切迫した思いが何よりも強く、母の病気がいよいよ末期となった数か月は、海外の大学でのサバティカル休暇を申請した。彼女はひたすら研究に打ち込むことに逃げて、母の臓器の衰えや酸素タンクの存在、死体と見間違えるほど急激に痩せていく現場に立ち会わなかった。

恐れていたような脅迫めいたメッセージは届かなかった。Apep Otein は相変わらず友達もおらず、投稿もしていなかった。アカウントそのものに、本人の存在同様、何の目的もないかのように。

好意的な仮説をいくつか立ててみる。ロリ叔母がやったことかもしれない。新興宗教を信奉する叔母は、よく風変わりなやり方で死者を追悼したがった。叔母ならこの写真を焼き増ししたものを持っているかもしれない。とはいえ、前もって何も知らせてこないなんて叔母らしくないので、この仮説は却下した。

だんだんアカウントにアクセスする回数も減り、数か月もすると忘れかけていた。その後、あらためてアクセスしてみた。やはり独りぼっちだ。投稿欄は真っ白のままで、友達も皆無。亡くなった母と同じく時間の中に凍りついている。彼女は〈承認〉ボタンを押した。

プロフィール欄と経歴欄にコピーされた写真をクリックする。そして写真の下部に、それが登録された日時が記録されているのに気づいた。二〇一一年七月七日午前六時。彼女の祖母と名付け親に看取られて、ペパ・ニエトが息を引き取った日時だ。彼女自身は、母の臨終の床の前にあるソファーで眠り込んでいて、遺体を安置室へ運ぶためにみんなが看護師に知らせに行ったときに起こされた。

その夜、母が苦しんでいるあいだ――それは木曜日のことで、母は月曜日からずっと呼吸困難だった――、彼女は疲労のあまりソファーでつい横になっていたのだ。名付け親がそっとシーツをかけてくれた。肩にシーツをかけるしぐさのやさしさは、子供の頃、母がベッドに入った彼女に上掛けをかけてくれたときのそれと同じだった。あんな小鳥のような繊細な感触はあのとき以来だ。しばらく眠り、名付け親に起こされて、ペパが今息を引き取ったよと告げられた。それでわかったのだ。名付け親を通して彼女をそっとシーツでくるんでくれたのは母だった。あれはお別れの挨拶で、彼女を守ろうとする最後のしぐさだったのだと。

フェイスブックの問い合わせサービスを使って、何かを投稿したその日時を変更することはできるのかどうか調べた。回答を見て、彼女は驚いた。データは変更不可能だというのだ。二晩悶々として、結局父に打ち明けることにした。テレビをぼんやり眺めていた父は、肩をすくめた。死が訪れたその瞬間に妻の写真とその名を逆から読んだ名前でフェイスブックのアカウントが開設されたって、何もおかしくないと言わんばかりに。

父の無反応ぶりに、彼女はますます追いつめられた。写真が本当にその日時に登録されたのか、何度も確かめずにいられず、一週間後にはとうとう強迫性障害まで発症した。やはり間違いだったと確認したくて、五分ごとに写真をクリックした。そのデータしだいで自分の生き死にが決まる、ロシアンルーレットでもしているかのようなふるまいだった。結局、激しいパニック発作を起こし、病院に運ばれて鎮静剤を打たれた。小太りの父が、妻を亡くしたばかりなのに今度は娘の死まで看取るのかと言いたげな、絶望的な表情でこちらを見ていた。フェイスブックのアカウントのせいで精神的に参ったのだとは、とても言いだせなかった。それは相手が精神科医でもカウンセラーでも同じだった。そうした人たちを前にすると、怒りと羞恥心がこみあげた。

処方された薬には幻覚剤のＭＤＭＡとやや似た効果があり、Apep Otein のプロフィールへの執着をやわらげるにはあまり望ましくなかった。薬のおかげで多幸感に包まれ、毎日巡礼を続けるのは写真の日時を確かめるためではなく、自分にはその恐ろしい事実に耐える力があると証明するためだと思えてきた。

こんなことが起きた理由をもう一度考える。無理があるけれどありえなくはない仮説が頭に浮かんだ。何もかも偶然のなせるわざだとしたらどうだろう。たとえば、個人情報窃盗犯が彼女の家に忍び込んで、ネットで不正利用するための人物候補を増やす目的で、母のあの写真をスキャンしたとする。この変わった犯罪者は、できるだけ利用価値のある人々の気を引くため、とくに明るく美人な女性の写真を選び、バーチャル空間のあちこちにそれをばら撒く。引っかかりやすいので、被害者の親類に的を絞って狙う、ということもあるのかもしれない。同じようにこんな空想もする。家族の友人の誰かがじつは母に恋をしていて、病院で闘病中だと知ってつらかったのか、腹が立ったのか、混乱したのか、あるいは母が死ぬのが怖かったのか、とにかく感情をぶつけるようにフェイスブックにアカウントを開いたが、それが奇怪にも母が亡くなった瞬間とたまたま重なったのかもしれない。もしそうなら、この人物は彼女に友達申請をしたが、服喪期間が終わったとき、急に恥ずかしくなったか、そんな申請をしたことを忘れてしまったか、どちらかだろう。でも、向精神薬を飲んでいるときにこうしてあれこれ憶測するのは、別種の薬を摂取しているようなものだ、とも思う。仮説を立てるのは、すべてをきちんと説明するというある種の正常さを再建する作業なのだ。

ところがせっかくそうして薬で心の平静を取り戻したというのに、母の一周忌の七月七日、すべては水の泡になってしまった。朝起きてフェイスブックを開いたとき（その朝、父と一緒に花を持ってペパの墓参をする予定だった)、Apep Oteinの初めての、そして今のところ最後の投稿を目にしたのだ。プールの写真だ。8の字形の曲線的な形状、紺色のペイント、漆喰塗りの壁、周囲の金網をすぐに思い出した。

彼女が七歳のときまで住んでいた家のプールだ。コルドバの田園地帯を見渡すことができたその家は、国道が真ん中を突っ切っている村にあった。写真には、鏡のような水しか写っていない。両親が保管しているポラロイド写真の色合いだったが、プールだけの写真なんてアルバムで見た記憶がなかった。

この写真はたちまち彼女を、宵闇の迫るある夕方に引き戻した。母と彼女はプールの水に浸っていて、あたりは涼しかったのに、体はかっかと熱かった。ペパはチーズサンドイッチをこしらえていて、二人はプールの中で脚をゆっくりと動かしながらそれを食べた。そのあと、夏の陽ざしの熱がまだ残るプールサイドで横になり、国道を走る車の音を聞いていた。そして、今のは大きい車か小さい車か、ワゴン車か、トレーラーか、当てっこをした。

Apep Oteinの初投稿の写真は、濡れた水着姿の彼女と母が、塩素の匂いを嗅ぎながら沈む夕陽を眺めていたあの日に撮られたものだという確信があったが、とはいえ、そんなことはありえなかった。写真を撮る係はいつも父だった。でもその日、父は旅行に行っていて、めったにないことだったのでよく覚えていた。彼女は母と二人きりで、一緒にいることぐらいしか、することがなかったのだ。

墓地に行く前に、彼女はアルバムを全部見て、引き出しの中もみんな調べてから、田舎の家のプールのポラロイド写真を憶えているかと父に尋ねてみた。質問したそばから、自分が馬鹿みたいに思えた。父は人がそこにいないと、めったにカメラのシャッターを切らなかった。

「撮ったのは母さんじゃないか？ 私は憶えてない。なんでそんなことを訊くんだ？」と父は答えた。

父は妻を亡くした悲しみから、もうすっかり立ち直っていた。今は、インターネットで知り合った女性たちとせっせとデートをしている。どの人とも二、三週間しか付き合いが続かなかったが、父は気に病んでいる様子はなかった。母の存在感が家の中からまだちっとも消えていないというのに、母と似た人ばかり選んで母の代わりにしようとするから、手に入れたせっかくの独身生活を心から楽しめないんじゃないの、とは思ったけれど、口には出さなかった。

墓地の入口に足を踏み入れたとき、正午になっていた。母のために選んだ墓石は地味なもので、彫り込まれた十字架も目を凝らさないと見えないくらいひっそりとしている。そういう質素さは、まわりの墓のいかにも重厚なブロンズの十字架や浮き彫りの文字とは対照的だった。

灼けつくような正午の陽ざしが、暑さのせいでひとけのない墓地や墓そのものにつきつける現実は、純粋に石が伝えること以外、すべてを沈黙させる。幽霊だの、仮想空間に死者をよみがえらせる変人だのについて考えようとしても、そこでは不可能になる。骨を収納した墓がそこにあるすべてであり、あとは父の悲しみばかりだった。その悲しみも、ほかの何より、父の老いから生まれるものになりつつあったが。

「今日もルイサと過ごしてたの?」彼女は尋ねた。

ルイサは最近父が付き合っている女性だ。

「今日は会ってない」父が答えた。

それから父は妻の墓碑に手を置き、町いちばんの花屋で買ったアヤメを供えた。その花も夜までもたないだろう。

またApep Oteinのアカウントを訪問せずにいられなくなった。アカウントは奇妙な沈黙を続けている。いまだに友達は彼女だけだった。抗鬱剤のフルオキセチンの量を二倍に増やし、血中にその効果が存在し続ける四十八時間のあいだ、おかしくないのに笑ったり、プールの写真をぼうっと眺めたりしていた。彼女がようやく安定したとき、新しい写真が投稿された。

それは、救急車のそばでストレッチャーに乗っている母だった。父がその手を握っている。

上方から俯瞰で撮影されたその写真には、通り、救急車、ストレッチャーを運ぶ救急隊員、ペパ・ニエトが写っていて、母はもう息も絶え絶えで、その日の午後、死を覚悟して入院することに決めたのだった。彼女がその光景を憶えているのは、何か写真で見たことがあるからではなく、自分自身が居間の窓からそれを見下ろしていたからだ。「わたしの最後の旅ね」病院に向かう途中でペパがそう言ったと父から聞いた。母は一瞬こちらを見上げ、かすかにうなずいた。そこには苦痛も恐怖もなかった。苦痛や恐怖を感じる力もなかったからだ。母はすでに消耗しきっていた。

近所の誰かが撮った写真だと考えることもできた。しかし、上階にある二室に住んでいるのはどちらも老夫婦で、そんな作業にいそしむタイプにはとても見えない。それに、たとえ彼らがこのとんでもないいたずらに従事していたとしても、この写真の光景に限っては自分の頭の中にしかないものだと彼女は断言しただろう。この角度からして、実家の居間の窓から見下ろしている。そして、写真に切り取られているのは、彼女が窓から覗いているのに母が気づいてうなずいた瞬間だ。

それ以来、Apep Oteinのタイムラインには何が投稿されても不思議ではないのだと知った。実際そのとおりだった。投稿されたのは、二つの音声記録――一つは母の歌声、もう一つは、お気に入りの映画『トッツィー』を観て大笑いする母の声——、そして写真。よく通ったレストラン、滞在したことがあるホテルの部屋、自宅の居間、おやつを食べたフランス菓子店、ノートにメモした格言、服が飾られたショーウィンドウ、お手製の煮込み料理。どれも母が彼女とともに経験したことだ。いや、彼女が母とともに経験したこと、と言ったほうがいいだろう。そこにある声や光景は、彼女の記憶のかけらなのだから。食事のときいつもテーブルに敷かれていた、ピンクと白のストライプのテーブルクロスの上に出されたばかりのシチューだの、店のショーウィンドウだの、歯医者の待合室だのに、フィルムを無駄遣いする人間なんているだろうか？ そんな記憶が保管されているのは、彼女の頭の中だけなのだ。ただし二つのシーンだけ、古い携帯電話に眠っていた二枚の写真に具現化されていた。一つはレストラン〈ＶＩＰＳ〉でペパと喧嘩をしたあとの一枚、もう一つは遺体安置所で撮られたもの。この後者の写真には、会葬者に姿を見せる、屍衣にくるまれた母が写っている。屍衣に包まれていても痩せ細った体をごまかすことはできず、その表情からはもはや何もうかがえず、過去の小さな一片も、死がいかにペパに訪れたかを示す片鱗も見えない。口は接着剤で閉じられていた。そうして写真は撮影された。亡くなったお母さんの写真を撮っておかないと、と叔母に言われたからだ。

「撮らなかったら、あとで後悔するわよ」と叔母は引かなかった。

母親の遺体の写真なんて撮りたくなかったとはいえ、彼女には迷信深いところがあった。それに、叔母にはいわく言いがたい特殊な知恵があると、常日頃思っていたのだ。だから横たわった遺体にピントを合わせ、ボタンを押した。彼女は何度もそれを眺めたが、とくに何の感慨も湧かなかったし、将来何の役に立つのかもわからなかった。やがてスマートフォンをもらってそちらに乗り換え、写真はその古い携帯電話に収まったまま残されたのだ。

他界した家族や親類について、何度かインターネットで調べたことがある。たとえば、二十九歳で亡くなった従兄のことは、ときどき情報を追いかける。彼はセキュリティソフトを作る仕事をしていたので、情報系のフォーラムのあちこちにその痕跡が散らばっている。技術的な質問に対する彼の回答を読み、そのきわめて繊細で難解な会話の無菌状態の中に、従兄が存在していると思えた。彼の名前が懐かしい声で発音されるのがよみがえる。その声は、彼と一緒に過ごした毎年の夏休みに、彼女の名前も呼んだ。彼女はいつも彼の家に行き、大人たちがまだ昼寝をしているあいだ、滞在していた村の白い通りで自転車を乗りまわしたものだった。ほかに先祖のことも調べた。戦争で死んだ曽祖父や大おじたちの苗字と名前をパソコンに打ち込み、忘れ去られていた情報や遠方のどこかに残された記録が見つからないかと期待した。もちろん何も見つからず、そのぽっかりと残された欠落に彼女は驚いた。インターネットには何でもあるから、彼女の郷愁やデータへの執着に応えてくれるものと思い込んでいたのかもしれない。母が亡くなった直後、母のこともグーグルで検索してみた。クローゼットの中の服や靴、本、フェイスクリーム、コップの中の歯ブラシ以外にも、ペパ・ニエトの痕跡は何かないか、と。ほとんどない、と言ってよかった。医学部のホームページに記載された名前、ハエンで開催された学会のチラシ、小児科医としてポストを得たことを報告する官報、コルドバへの転勤を告示する別の官報。

Apep Otein は別の音声記録をアップした。そこで父と母は激しい言い争いをしており、彼女自身それを目撃していた。それがわかったのは、最後の部分を聞いたときだ。母は「放してよ、この馬鹿！」とわめき、バタンと力まかせにドアを閉めて、そのあとさらにドタバタと何かがぶつかる音や金切り声が続いた。父がペパを部屋に閉じ込めたのだ。子供のときの自分の声も聞こえた。別の部屋にやはり閉じ込められ、泣きわめいていた。闇の中だった。

人を嫌うのが特技だった母と違って、父はまっとうで温厚だった。だからあの喧嘩騒ぎは異例な出来事として覚えていたのだ。幼い自分の泣き声を聞き、彼女は動揺した。Apep Otein は生前の母に成りすましたようなふるまいをし、そうやって人の弱みをつついて、何か形にならないものを引き出そうとしているらしいが、満足のいく結果などけっして手に入らないだろう。

かわいそうに、と彼女は思った。それから数日は攻撃が収まった。また以前のような、楽しげで、訝しくなるほど甘ったるい、軽い日常の風景の投稿に戻ったからだ。すると今度は別の疑いが生まれた。母がこのフェイスブックのアカウントを通じてしようとしているのは、娘の記憶に攻め込み、母がそこにいないすべての記憶を排除することなのではないか。母の登場しない記憶など本来彼女にはないはずだ、だから彼女の過去は母親を含めて初めて完全になる。母がすべてを目撃し、何でも指導してきた日々こそ、彼女の人生だと言わんばかりに。

そんな推理が浮かんだとたんにぞっとして、Apep Oteinのことはきっぱり忘れようと決めた。でもしばらくして決心は鈍った。例の名前にまたカーソルを置いたとき、うずうずして手が震えた。新しい投稿はまだなかった。母の遺体の写真をクリックする。ベールで覆われた顔、ダークウッドの棺、花輪。

幽霊のタイムラインを避けていたあいだ、彼女は帰巣本能みたいなものに襲われ、落ち着かなかった。乱雑に積み上げられたイメージや音は彼女の気持ちをかき乱し、海馬がどこかに葬り去った子供時代や思春期のつまらない日々の名残を、新たな母の記憶を、求めてやまない自分に気づいて驚いた。苦いオレンジマーマレードをパンに塗ったり、彼女の赤いバレーシューズを洗ったり、バス停まで送ってくれたりした母。春にまだ一族が集合していたときとても新鮮に耳に響いた昔ながらの挨拶や、お喋りの声よりはるかによく通った母の歌声。どの投稿も、ずっと大好きだったのに忘れていたもの、でも触れればまだどきどきと脈打っているものがしまい込まれた箱を見つけたような気持ちにさせられた。

あのアカウントにアクセスするのを自分に禁じていたあいだ感じた強烈な欲求は、子供の頃、学校から帰ってきたときにアパートメントの階段を駆け上がりながら、早く母に会いたくてたまらなかった、あの切迫感と同じだった。あのとき自分を待ち受けていたのは、ドアの掛け金だった。母はよくトイレに籠っていて、それがとても怖かった。思わず「ママ！　ママ！　ママ！」と呼んだ。叫んだって開けてはくれないとわかっていたのに。Apep Oteinを拒絶した自分は、鍵のかかったドアを前にしたあのときの自分だった。彼女はむかつくアカウントに舞い戻り、クリックして、しばしためらってから、タイムラインに叫び声を打ち込んだ。

「ママ！」

沈黙が続き、そして感情が爆発した。母がそこにいない、そのことに泣き、画面に目を釘づけにして、母が姿を現すのをひたすら願った。やっと落ち着いたとき、無言を貫くアカウントページに腹が立つと同時に恐怖を覚えた。

その後数週間、何も投稿はなかった。まるで、アカウントが役割を終えたかのようだった。

ある日の午後、ノートの形で長い叙述が投稿された。対がん協会主催の作文コンクールのために、ペパが最初の手術のあとに書いたエッセーだ。その原稿は、ヤモリの形をした銀の文鎮、ダイヤの指輪、曽祖母のブローチといった、母の持ち物の中でも、おばたちに形見分けせずにわずかに残った高価な品物と一緒にしまってあった。彼女はとまどいながら読み始めた。そのとまどいには、母が感じていたそれも混じっている気がした。

自分の身に何が起きたかも、なぜ自分がそこにいるのかも、わからなかった。わかったのは、体のありとあらゆるところに管がつながっているということだけだ。最初に聞こえたのは人の声だった。男の人？　それとも女の人？　その声は、両脚を動かして持ち上げてみてください、とわたしに言った。右脚が上がらず、シーツの下にそろそろと手を潜り込ませて原因を知ろうとした。腹部から続く包帯に手が触れた。左脚には何も巻かれていない。右脚が麻痺しているとすれば、この左右の違いの理由は何だろう、とぼんやり考える。じつは手術を受けていたのだが、その時点では思い出せなかった。どれぐらい時間が経ったのかもわからない。何度も右脚を動かそうとするうちに、ある日包帯がなくなったことに気づいた。

苦労して目だけ動かし、周囲を見まわした。体はまだ動かなかった。自分がたくさんの機械につながれているのを見て、きっともうすぐ死ぬんだと思った。でもそのほうがいい。そんなに苦しむなら生きていたくない。不思議な気持ちで人生を振り返った。ただの人生ではなく、まるで夢みたいに思えた。それに、きっと鎮静剤のおかげだろうが、とても穏やかな心持ちだった。頭がぼんやりしていて考えがまとまらなかったとはいえ、自分はそんなに重篤でもないのだと気づく。すぐ近くにとても息苦しそうな患者がいて、ずっと咳き込んでいた。その晩か、あるいは翌晩か、時間ははっきりしないのだが——室内の灯りが落としてあったし、外も暗く、人が大勢出入りする音も聞こえなかったので、たぶん夜だとは思う——小便が出せないせいで大声でわめいている、また別の患者が来た。そうなると本当につらいものなのだ。ありとあらゆる処置がおこなわれたが、男性はほんの一瞬おとなしくなっただけで、また叫びだした。

そういうことすべてに、自分が少しも動揺していないことに驚いていた。むしろ逆だ。まわりで何が起きているのか、もっと知りたかった。

ある朝、ベッドにいる衰弱した患者に付き添う二人の女性を見た。患者は死を目前にしているようだったが、わたしが気になって仕方がなかったのはそのせいではなく、二人の女性がずっとわたしをじろじろ見ていたからだ。そこにいるあいだあんまりわたしを凝視し続けるので、目玉が破裂するんじゃないかと思ったくらいだ。たぶん、見覚えがあるので誰か確認しようとしたが、わたしの体に山ほどつながれていた機械が邪魔でどうしてもわからなかったのだろう。

一日の時間の移り変わりに従って、病室内の色調がさまざまに変化した。六月だったので、午前中はとても美しい陽ざしが入り込み、部屋じゅうを明るく照らすその光はビー玉のようにきらきらと弾けた。陽が沈んで人工的な光しかなくなる時間帯は、雰囲気ががらりと変わる。四角い形をしたまぶしいスポットライトもあれば、純白の光を放つ中ぐらいの大きさのLEDライトもある。緊急時にはそうした照明がすべて点灯されるのだが、それがしょっちゅう起きた。夜は室内が薄暗くなり、自然に気持ちが落ち着いて、眠くなってくる。

わたしは色に執着した。目に入ってくるのは白と緑がほとんどで、とくに看護師や看護助手の青リンゴを思わせる制服のせいで緑が目立った。青い制服もあり、マスクは息がこもると灰色になった。機械の音にさえ色があった。ときどき何かが突然作動して、わたしはびくっとする。

わたしの気分には波があった。相変わらず何が起きているのかわからなかった。いつからここにいるのだろう？　ときどき泣きたくなったが、泣けなかった。もう一年以上涙を流さずにここまで来た。本当はすごく泣き虫なのに。

ある日、看護師から変な装置を渡された。息を吹き込むパイプみたいなものと、ボールが三つ入った小さなケースが、小さな部品でつながれている。そこに息を強く吹き込んでボールを浮き上がらせてくださいと、若者は言った。でも息が吐けなかった。吐き方を忘れてしまったみたいだった。それに、この看護師がわたしに何でこんなことをさせるのかもわからなかった。

ある日の朝方、わたしの口にくっつけられた管に黒い液体が流れだすのが見えた。わたしは怖くなって、看護助手を身振りで呼んだ。どんな説明を受けたかは忘れてしまった。

いちばん嬉しかったのは、娘が来て「ママ、ちゃんときれいに取ってもらえたよ！」とわたしに叫ぶのを見たときだった。その顔には喜びと希望があふれていて、目もきらきら輝いていた。それで、ベッドに横たわる体はまだ衰弱していたとはいえ、まもなくここを出ることになるんだなとわかった。

歯茎

Encía

それは七月のことで、〈パラッツォ〉を出たとたんアイスクリームは溶けだした。わたしたちはそうやってここ何か月も、何かの儀式か宗教みたいにそのアイスクリームパーラーに通い、暑さが溶けて細い風の糸に変わる夜になるまで、なんとかやり過ごそうとしたが、わたしはもう飽き飽きしていたし、イスマエルはハート形の氷をくるんだTシャツに頬を押し当てていた。ハート形の製氷皿は、わたしのためのあくまで仮のバチェロレッテ・パーティーのお土産だ。イスマエルとわたしはつい先日、実際には結婚しないけれど、結婚式の真似事をすることに決めたのだった。もう結婚式の話をしたくないというのが最大の理由だ。彼は結婚したくないけれど、わたしは結婚したい気持ちがあって、それで結婚式の偽装を考えることになった。それに、教会でも裁判所でも式をしないまま三人の子供をもうけた誇り高き両親に、反抗してみたい気持ちもあった。わたしは二人に自分の偽結婚式の写真を見せるつもりだった。だからどうかな、イスマエル、ふざけて写真だけ撮るのは？　わたしたち、何かお祝いしたことって一度もないじゃない。最初は冗談のつもりだった。前に二人で作ったクリスマス・カードみたいに。シーツをかぶり、紙にアルミ箔を貼った光輪をつけて、わたしが聖母マリアに、イスマエルがヨセフになり、愛犬のロペスが幼子イエス役だった。いとこのマイテの卒業祝いに買ったショールに包まれたロペスは、隙間から鼻面をのぞかせていた。ショールは麦わら色で、わたしとロペスだけになるように写真をトリミングしたら、犬の首だけ砂からのぞいているゴヤの絵みたいになった。ロペスに悪いことをしたと思う。動物は自分を冗談のネタになどしないのに。ヨセフと聖母マリアの恰好なんかして、あなたもわたしも馬鹿みたいだった？　友人たちはあれを見て、妙に気恥ずかしくなってくすりと笑ったりしたのかな？　そんなことはないと思うけれど、実際のところはどうかわからない。偽結婚式の写真については、それが扉を開けてくれて、今まで見たことのないまったく新しい部屋に足を踏み入れるきっかけになると期待していた。すべてをひっくり返すような何か、子供の代わりにカラスを産むようなことをわたしは求めていた。それに、きっとそれが凶兆を追い払ってくれると思った。理由は説明できなかったし、立ち止まって考えたりもしなかった。二月にバカンスに行くつもりだったから、ぐずぐずしていられなかったのだ。その年は二人とも休暇がとれそうだった。イスマエルは大学の試験期間が終わるし、わたしは高校の代理教員の候補になっていたのに、予算カット――〝カット〟という言葉には、カイコがむしゃむしゃ食べていく桑の葉のイメージがある――のあおりで結局呼ばれなかった。でも、わたしにとって一大事だったのは失業ではなく、まるで映画みたいに、盲人協会の宝くじが当たったことだ。それで今年の残りは余裕をもって暮らせそうだし、イスマエルも一人でアパートの家賃を払う必要がなくなった。

わたしの親友がマトリード郊外のロブレドンドに別荘を持っていて、そこで結婚パーティーをしたらどうかと言ってくれた。一方、女の子だけが集まる偽バチェロレッテ・パーティーのほうは、みつばちマーヤのアンテナもペニス付きのティアラもなく、婚礼衣装を着たイスマエルとわたしの写真をプリントしたTシャツを揃えた程度だった。そうしてフォトショップのモンタージュ写真とルエダの白ワインでお祝いした。自分たちの首を事前にいろいろなバーチャル衣装にはめ込んで試してみた。切り取ったわたしたちの頭はまるでピンボールのようで、どんな首にも上手にはまった。わたしはぎりぎりになって、バカンスの目的地を変更した。当初は友人のロンドンの家に行く予定だったのだ。でもEチケットを発行してもらう直前、カナリヤ諸島のランサローテ島に二十日間滞在する旅行の新聞広告を目にした。何かがするりと滑るのがわかり、わたしはすぐに旅行代理店に行ってそれに申し込んだ。夜になって、テーブルについたイスマエルの前に島の地図を広げた。そこに描かれた島はほとんど真っ黒で、火山の頂上はまるで鳥の巣のように見え、村はぽつりぽつりとしかなかった。イスマエルの体が急にこわばった。拒絶しようとしたからではなく、狩人が遠くに獲物の姿を認めたような感じだ。前からランサローテ島に行きたかったんだと彼は言い、だけどこの地図だと島の色がよくわからないなとぼやいた。そこでわたしたちは地図を小ランプで照らし、天井の照明もつけてみたが、やはりあまりはっきりしなかった。かといって、インターネットで調べたりはしなかった。旅行代理店で渡されたパンフレットの曖昧さ――そこに載っている島の形は無脊椎動物みたいだとイスマエルは言った――をそのまま受け入れるほうが面白い。それにあまり遊んでばかりいられなかった。冷蔵庫の中には大量のオムレツ《トルティーリャ》とソーセージ《エンプティード》、レバノン風サラダ《タブレ》があり、料理店で言われたように、冷凍庫から前もって海産物を出しておかなければならない（クルマエビは前日の晩に解凍してくださいね）。そのうえ、テーブルの準備をするために早めにロブレドンドに到着する必要があった。でもわたしにはパーティーが遠い先の話のように思え、それはイスマエルも同じらしかった。今目の前には、壁のフックに掛かったわたしたちの衣装があり、ロペスが尻尾を振りながらその匂いを嗅いだ。わたしたちは衣装をクローゼットにしまうことさえしなかった。存在をすっかり忘れていたかのように。わたしはそのとき結婚式のことなんか全然考えていなかったのに、本当に結婚しちゃうこともできるよね、とぼそりとイスマエルに言った。すると彼は、そうするとパーティーに来る友人たちは、偽の式に出るつもりでじつは本物に出席することになるな、と答えた。偽結婚式が急に自分の意思とは関係のない、ばかばかしいものに思え、ずっと前から憧れていたことを実行する口実にすぎないような気がした。そう、島へ行き、砂浜から海を眺めることだ。あらためて地図に目をやると、たしかに蛭みたいに見えた。イスマエルが無脊椎動物になぞらえたのは一理あった。わたしは自分が骨格から自由になり、太古の穏やかな生き物の形になるのを感じた。

わたしたちは七時に起床し、ジーンズを穿くと、ロペスをわたしの両親に預け、車の後部ウィンドウの取っ手に結婚式の衣装を吊るし、トランクに食料をたっぷり詰め込んで、ロブレドンドに向かった。前の晩はほとんど眠れなかったので、途中ずっとうとうとしていた。ベアトリスはわたしたちをコーヒー漬けにし、十時には庭に出て、石灰めいた雲が赤くなるほど太陽が暖めてくれることを祈った。予報によればそれほど寒くはならないようだし、そもそもその冬は山岳地方であっても比較的暖かく、さらには、寒がりの人たちのために屋内にもテーブルを用意してあった。十一時の陽ざしは暑いほどで、わたしたちは無言で着替えた。鏡を見たとき、突然、美容院でやってもらうみたいに髪をセットしたくなった。そんなこと今まで一度もしたことがないのに。そこでベアトリスに美容師役を頼んだ。

「どんな髪型にしたいの?」彼女は尋ねた。

「好きにして。でもしばらく髪を梳かしてくれる? それからメイクもお願い」

わたしは目を閉じ、友人の手に自分をゆだねた。式はあれよあれよという間に始まって、昼間の陽ざしが充分にあたりを暖めてくれたおかげで、招待客やリベイロワインとともに快適に時間を過ごすことができた。今も、庭の隅に目をやったときイスマエルが四つん這いになって芝を食べていたことも、自分もこっそりトイレに行き、そのときのヒステリックな興奮状態の原因だったがぶ飲みしたコーヒーとワインを吐いたことも、ありありと思い出せる。でも、どんなに飲んでも、こんなこと無意味だという感覚を追い払うことはできなかった。イスマエルとわたしのしていることは、しょせんかさぶたを引っ剝がすようなことでしかなく、でもそうして酔っぱらううちに、わたしたち自身がかさぶたなのだとわかった。まあ今は、あのときはほんとにへべれけになったとか、少しじっとしているととたんに寒さに震えたとか文句を並べているけれど、楽しかったことは事実だ。わたしはベアトリスが簡単にセットしてくれた髪型で、二〇年代風のベージュのドレスを着て、イスマエルはスーツ姿で蝶ネクタイを締めていた。

でも、ご両親には何も言わなかったんでしょう? わたしは彼に尋ねた。言わなかったことは知っていたし、わたしだって、旅行に行くと話しただけで結婚式のことは親には言わなかったけれど、つかのま、親のいない結婚式が悲しくなった。たぶんこの偽結婚式の写真は、自分の子供たちに見つからないよう、簞笥の奥にしまい込むことになるのだろう。子供たちが物のわかる大人になったら、引っぱり出してきて見せるかもしれないけれど、そんなことは起こりそうになかった。パーティーは夜通し続き、翌日の昼食の時間にランサローテ島行きの飛行機に乗り込んだとき、ひどい二日酔いで、自分が旅行鞄に何を詰め込んだか覚えていなかったし、それはイスマエルも同じだった。あんまり疲れすぎていて、昼寝もできなかった。飛行機が島に近づくと、わたしたちは窓に張りついた。わたしはイスマエルの脚の上に身を乗り出し、島の黒いシルエットを確かめようとしたけれど、見える色は海の藍色ばかりで、それは上のほうまで広がって、青い霧が宙にたち込めた。火山にしろほかの何にしろ確認できず、飛行機が下降し始めたときようやくくっきりした海岸線が目に入ってきた。風が強いらしく、機体を安定させるのに苦労していたが、その後一瞬、自分たちが停止したように思えた。静かにホバリングする鳥のように、飛行機が宙で停まったのだ。でも単にわたしたちがそう思っただけで、すぐに飛行機は下降した。視界に入るのは、舗装のタールと荒涼とした地表の上のさまざまなラインばかりとなった。

最初の四日間は、プラヤ・ケマーダとティマンファヤ国立公園のあいだで過ごし、火山岩を避けながら裸足で歩いた。そうするあいだに、わたしたちの偽結婚式には意味があったと思えるようになった。はっきり説明はできないけれど、これでよかったんだと納得できる、本来とは違った意味が。砂浜に座っていると、二人の上で時間が溶けていった。まわりには、火星のパレットで描かれたみたいな、なだらかな丘が続いているだけだ。赤い色、黒い色。そしてわたしは、パソコンの前に座ることにはもう耐えられないと思った。この砂漠が連想させる世界以上の仮想空間なんて、ほかにない。朝わたしはイスマエルより早く起きて、冷たい大西洋に飛び込む。本当のことを言えば、そうしてしばらく一人になりたかったのだ。そのあと村のバルに朝食を食べに行く。とはいえ、わたしにはあれが村だとは思えなかったのだけれど。わたしたちのあいだでは一度もそんなふうに呼んだことはなかったとはいえ、プラヤ・ケマーダはただの集落だった。心の中では思っていても口に出さないことが、ほかにもたくさんあった。形になるようなことは何一つ考えずに何時間も過ごし、子供のお喋りみたいに単純な言葉ばかり並べた。「海に行くよ。じゃあね」そして水に入ると「誰もわたしをここから出せない」とつぶやいた。イスマエルは脳に関する本を読んでいて、夜になると二人であれこれ話をした。自然と触れ合ううちに、体が内に秘めた太古の記憶に反応し始めるはずだ。はるか彼方の海淵を思いながら長い時間海に浸かっていると、鰓《えら》が生えてくるかもしれない。

わたしと同じくイスマエルもすっかりくつろぎ、休暇を満喫していたが、わたしたちの肌が日焼けしてじんわり黒くなってきた頃、夜になって痛みが始まった。一年前に授業を休んで、歯茎を切らなければならなくなったときと同じ痛み。そのときには、口全体に炎症が広がってしまい、歯科医に歯茎の一部を切除してもらうあいだ、彼は発熱でがたがた震えていた。イスマエルはその晩うんうん呻いていたけれど、それでもわたしは早起きして海に行った。目覚めるとすぐにベッドから飛び出し、急いでビキニをつけ、こっそり部屋を後にした。水に入るといつもよりぐずぐずし、医者と薬局に行くか、待つか、考えた。波に揉まれながら、黄色い魚がきらりと光ったのに気づき、はっとした。しばらくじっとしていたのは、最初は自分の目を疑ったこともあったが、この事態が恨めしくて体が動かなくなったからだ。わたしは朝食を食べに行き、トーストの代わりにイワシのマリネを頼んだ。バルの主人はイワシのマリネはメニューにないが、カサガイなら用意できると言った。わたしは顔を赤らめ、オリーブオイルを塗ったトースト、オレンジジュース、コーヒーを注文した。部屋に戻ると、予想どおりの事態が待ち受けていた。イスマエルは身支度もせずに鏡の前に立ち、大粒の汗が浮いた額を拭っている。顔に、そして全身に、苦痛の皺が刻まれている。直立した体を浴室の光がぼんやりと照らして、体を輝きと影で塗り分けている。まさにトカゲのようだった。わたしは冷ややかな目でそれを眺めた。彼は体にまとったその新たな肌にうっとりし、あえて尋ねなかったけれど、わたしが一時間遅く戻ったことにも気づいていなかった。彼は自分自身に怯えながらも魅了されていた。

わたしたちは島中心の町アレシフェの歯医者を予約することができた。イスマエルは熱があり、待合室で体の震えを必死に隠そうとした。歯科医は、もしここで歯茎を切ったら休暇は台無しになるだろうと告げた。抗生物質を飲んで、マドリードに戻ってからメスを入れることをお勧めする、と。イスマエルにはまだ有給休暇がかなり残っていたので、もう二、三日休みを延ばしても問題はなかった。「最悪なのは息が臭いことだが、しばらくキスを我慢すればいい」診察がすむと、彼はわたしに言った。わたしは、よくぬけぬけとそんなこと言えるね、と思いながらも、とりあえずうなずいた。朝、いつもは息が臭わないかのような言い草。彼にとって何より悔しいのは、わたしたちの体が織りなすハーモニーを壊し、岩のあいだで転げまわってセックスし、潑溂とした十八歳であるかのように感じる、せっかくの機会をふいにすることなのだろう。わたしは三十の坂をとうに越え、彼はすでに四十歳なのに。抗生剤のおかげで熱が下がったとはいえ、またのろのろとジョギングを始められるほどではなかった。それからは、彼は朝になると空元気を出して海岸に行ったが、持っていくのは脳に関する本ではなく、博士号取得をめざす学生の論文が入ったキンドルだった。そのあと新聞を買って、論文にあれこれ意見を書き込む合間に、ときどき集中して記事を読んだ。新聞はリラックスの象徴だった。日曜日と、こんなふうにバカンスに来ているときだけ、イスマエルは社説やらニュースやらを読んで朝を過ごし、もちろん論文への書き込みもせず、勝手気ままに感情を顔に出し、最初はミルク入りコーヒー《コルタード》を、二時間後に日曜版にたどり着く頃にはビールをお供に読む。天気がよければたいていコメンダドーラス広場にいるが、冬はカフェ〈ル・パン・コティディアン〉に入り、カフェ・アメリカーノを注文する。大きめのカップにバター付きパンを浸して食べるのが好きだからだ。週日は、何かを読むとしてもそれは義務だった。大学が崩壊の危機にあり、彼はまだ非常勤講師で、終身在職資格を手に入れるにはまだ何年か勤めなければならない不安定な状況にある今はとくに。そのせいで気を緩められなかった。わたしは博士号を持っていたとはいえ、さっさと見切りをつけて大学勤めを辞め、ぼちぼち映画制作を始めて、デビュー作の短篇がセビーリャ国際映画祭のニューウェーブ部門で賞を獲得した。イスマエルはわたしの受賞をあまり喜ばず、ある晩、君の短編映画はあんまり好きじゃないと打ち明けた。つまり、彼は口の中がそんなことになった自分を罰するかのように、本当は休暇から戻ってから読むつもりだった論文にそこで取りかかったわけだ。そしてわたしは相変わらず彼のタオルやパラソル、子供っぽいシルエットの近くでごろごろしながら、でも何かというとすぐに海に逃げた。論文の入ったキンドルを見たくなかったし、そこにそれがあるのもいやだった。でも同時にイスマエルがそれにかまけて海に入ってこないこと、水に浸かって光と霧の彼方に視線を馳せる時間が彼の病的なほど決まりきった日課に含まれないことを、喜んでもいた。わたしたちは遠出をするためにレンタカーを借りていて、わたしとしては計画を変えるつもりはなかったし、昼食後、ちっとも消化の助けにならないシエスタで一日を終わらせるなんてごめんだった。でも体調の悪いイスマエルは、どんな理由があろうと、体を休めたほうがいいに決まっていた。彼の歯茎が炎症を起こして三日目の午後、わたしは一人で車に乗り、ティマンファヤ国立公園に行ったのだが、彼がいないのが少し寂しかったので、翌日はイスマエルも車に乗せ、彼がこくりこくり居眠りしたり、ときどき炎症箇所をいじったりするのを横目で見ていた。患部に消毒剤の〈オラルディン〉を塗ってみたけれど、臭いは収まらなかった。わたしが近づくと、彼はひどく気にした。たしかに、歯茎に挟まった食べ物の臭いは、朝起きたときの口臭とは比べものにならない。抗生剤も、粘膜を元通りにしてはくれなかった。歯茎がどんどん垂れ下がって下の奥歯にかぶさる庇のようになり、イスマエルはその下から覗いている食べ物の残りかすを消毒液をつけた爪楊枝で取り除いたが、全部は取りきれなかった。腫れた歯茎は赤く剝けていたので、歯科医からほじくらないことと注意されたにもかかわらず、殺菌した爪楊枝を使えば歯茎の潰瘍はきっとよくなるとイスマエルは言い張った。でも、汚れを取れば取るほど、悪臭はひどくなった。わたしはティマンファヤ国立公園に続く街道を一人で車を走らせながら、彼の神経症っぽい行動に思いを馳せた。そのうちイスマエルは、わたしが何時間出かけようと、気にしなくなるだろう。なぜなら彼にとってその時間は、〈オラルディン〉でうがいをしたり、インターネットで縁起の悪い話題を見つけたりするのに必要だからだ。彼はその治療法ではなく、歯茎の病気やら癌やらについて飽くなき追究を続ける。だってさ、どうして歯茎が腫れてこぶみたいに垂れるんだ？　医者だけが当たり前みたいに診断をくだすのはおかしくないか？

夕食はいつもアレシフェまで足を延ばし、イスマエルはカサガイを注文した。カサガイは黒いフライパンに入れてテーブルに出され、まるで鎧戸を下ろした部屋で鈍く光る目のように見える。わたしは、生きている兆候がどこかにないかと探るかのように、おそるおそる未知の軟体動物を試してみた。わたしがそれを嚙みちぎるのに手間取るあいだ、イスマエルは早く食べたくてうずうずしているのを必死に隠そうとしていたが、わたしがようやく飲み込むと、猛然と食べ始めた。わたしも自分の新鮮な真鯛に同じようにがつがつとかぶりつき、皿が空になったところでようやくおたがいの顔を見た。そしてその瞬間、おたがいに相手のことが耐えがたくなった。もっとも、ワインを一本空にしたおかげで（イスマエルは抗生剤を飲み終わったのでまた酒が飲めるようになった）その緊張感は長くは続かず、そのあとわたしたちは近くのバルで、さらにはホテルに戻って暗い海岸を眺めながら、ジントニックを飲んだ。グーグル・アースによれば、プラヤ・ケマーダには九十九軒の家があった。わたしは、ひとけのない通りがまるで高速道路のように見える夜の村をどうしても探索してみたくなった。テラスでジンを前に悪臭芬々たる歯茎の潰瘍について考えているイスマエルをそこに一人にしておいても、べつにかまわないのではないか。彼といるとなんだかいらいらし、そんな思いやりのない自分に気が咎めて、偽の結婚式は楽しかったと彼に告げた。それはけっして嘘ではなかった。わたしは彼に嘘をついたことはない。それでも、暗いテラスで彼がジントニックをかき混ぜているそんな夜に、わたしが一人で通りに飛び出していっても何の問題もないと思えた。そこで、わたしは別の部屋でメールのチェックをしているのだと彼に思わせておくため、ドアを開け閉めする音をたてないように気をつけて、実行に移した。でもいざ外に出ると、そこから足が動かなくなった。わたしがためらったのは、自分勝手な理由からだった。だって、彼と喧嘩をしたら、もうのんびりできなくなるかもしれない。わたしは部屋に戻った。イスマエルはベッドにいて、ちらりとこちらを見ただけだった。

「外に行くなんて、聞いてなかったぞ」

「言ってないもの、当たり前よ」

翌日、イスマエルが気がつかないうちに、わたしは車を出した。食べ物の残りかすの上に腫れた歯茎が庇みたいに垂れ下がっていても、彼は相変わらずビュッフェのサラミ《サルチチョン》とトーストの朝食を食べたし、昼食にはモホという緑色の香草ソースを添えたジャガイモや、またしてもカサガイをたいらげた。その貝の歯ごたえのある身を彼が嚙んでいるのを見ていると、蛭を思い出した。カサガイはスペイン本土では嫌われていて、生のそれは爛れた歯茎とよく似ていた。わたしは車でティマンファヤ国立公園に行き、裸足で散歩した。午後のその時間には、観光客はほとんどいない。わたしは小さめのクレーターのふもとに腰を下ろした。そのあと、車から目を離さないようにしながら、一時間以上歩いた。警察が怖かったので、岩場には駐車しなかった。とはいえ、今まで一度だって警察など見たことがなかったのだけれど。ここでは町の理屈も田舎の理屈もどちらも通用せず、どういうふうに不安と折り合えばいいかわからなかった。火山によってあちこちに岩の小径ができており、みっしりと目の詰まった岩場のそばで、わたしはカサガイの残骸を見つけた。陽が沈みかけたとき、その硬い岩場に座って休んだのだが、それらが目に入ったのはそのときだった。

イスマエルが十日間にわたってあのぬめっとした海の生き物をモホソースにつけて食べ続けたあとだったから、間違いなかった。これほど忌み嫌っていなければ、ムール貝の貝殻か、溶岩に呑み込まれずにすんだ化石だと思って気にも留めなかったかもしれない。じつのところ、灰色なのに奇妙に虹色に光る貝殻が、地面からかろうじてのぞいていただけだった。その地面も、一瞬真昼の海のように見えたのだ、本当に。わたしは地面に四つん這いになり、乾いた溶岩の沈黙に耳を澄ました。まるでべた凪のような火山の静けさは、今しも噴火が差し迫っているのではと思えたほどだった。わたしは素手で、そして石のかけらで、地面を掘り返し始め、やがてカサガイの残骸が現れた。レストランやホテルが国立公園に貝殻を捨てに来ているのだろうか。海はそれほど近くないので、こんなところに貝殻があるのは説明がつかない。貝殻を見ると、わたしは海辺の別荘やアクセサリーショップではなく、いつも骸骨が思い浮かぶ。海岸沿いの遊歩道にある土産物屋では、二枚貝や巻貝で作られたネックレスが売られていて、わたしには骨の売店みたいに思えた。そういうミニチュアの納骨堂で貝に耳を押しつけてみると、聞こえるのは潮騒ではなく、貝の心情、真珠層を滑るぬるぬるした魂の声だった。

小さな島なので、どの場所も海からものすごく遠いということはないけれど、二十キロでは距離がありすぎる。その貝殻がそこにあったことが怖いのではない。ぞっとするのは、カサガイがイスマエルの歯茎に潜り込んだような気がするからだ。もちろんそんなの馬鹿げている。歯科医は、歯肉がだらりと垂れていくのは感染症が原因だと説明してくれた。体の組織は欠損部を埋めようとする傾向があり、ときどきそれに失敗して伸びすぎるのだという。わたしは貝殻を拾い、鼻に近づけてみた。最初は火山岩や、ごつごつした貝殻そのものの匂いしかしなかったが、やがてイスマエルの口の腐臭を嗅ぎ取った。想像力が嗅覚を暴走させたのか、疲れているせいか、あるいは、わたしの仮の夫の歯茎がもはやうっすらと臭うだけでは収まらず、思わず顔をそむけずにいられないほど強烈な悪臭を発するようになり、その彼が背後にいるような気がしたからか。一度幽霊のことを思い浮かべたら、もうそれは見知らぬものではなくなる。わたしが心から愛するものの幽霊だった。わたしは貝殻を投げ捨て、次に部屋から逃避するとしても、岩場で静寂を味わうのはやめた。代わりに七〇四号線を走り、名もない脇道に入って、ティマンファヤ国立公園の海岸部にたどり着いた。そこは静かな場所ではなかった。黒々とした断崖に波が激しく打ちつけているからだ。わたしは浜辺に下り、そこで午後を過ごした。まわりは岩や、ありとあらゆる貝殻に囲まれていた。もちろんカサガイの貝殻もあった。大西洋からは、そこに流れ着いた海藻の匂いが漂ってきて、わたしは今起きていることはその匂いが原因なのではないかと思おうとした。根拠はなかったし、当然反論されるだろう。この海藻はカディスのイソギンチャクみたいにやさしい匂いだけれど、イスマエルの口臭が連想させるのはまさに胆汁だった。

その晩、わたしの仮の夫は、目をきらきらさせてわたしを迎えた。その目は、暗い部屋の中できょろきょろと跳ねまわった。窓はきっちりと閉められている。外の陽ざしのぬくもりを部屋から締め出そうとしているかのように。いや、新たな自分の臭いを逃がしたくないからかもしれない。外はすでに涼しくなっていて、ときおり思い出したように熱い風が吹いたり、彼の口臭が漂ってきたりしていた。

「どうしてこんなふうに窓を閉めてるの?」

彼はラップトップの画面から顔を上げてこちらに微笑んだ。彼の目はコオロギを思わせた。

「ごめん。気づかなかった」彼は言った。

窓を開けるとき、つい乱暴になった。浴室のも含めてすべての窓を、窓枠からはずれんばかりの勢いで全開にした。イスマエルは動じず、インターネットでの検索にかかりきりになっている。わたしはシャワーを浴び、そのあとアレシフェには行かずにホテルに残った。わたしは食堂に行ったものの、ビュッフェの残り物のスイカぐらいしか食べるものがなく、部屋に戻ったとき、イスマエルはまだ昆虫の目をしていた。彼はわたしに近づき、舌でキスしてきた。歯茎が炎症になってから初めてのことだ。恥ずかしげもなくわたしに息を吐きかけ、唾液を塗りたくり、わたしは思わず後ずさりしてうつむき、できるだけ臭くない場所にキスをしようとした。ところがイスマエルはそっとわたしの顔を両手で包み、口を押しつけてきた。妙にしつこくキスを続け、あまつさえ頰をもぐもぐ動かして唾液腺を刺激しては、臭う唾液をせっせとわたしに送り込もうとし、おかげでわたしのほうまで唾が湧いてきた。二、三度吐き気がこみあげたあとは、胃の痙攣も少しは収まり、涙も引いた。感情的になって泣いたのではなく、横隔膜が引き攣って涙が出たのだ。痙攣のせいで顔が紅潮し、息が詰まった。
「今僕がやめたら、君にとって次はもっと大変になる」いつになく甘い、ぼんやり考え事をしているような声でイスマエルが囁いた。祈禱のあとの教会堂の中のような落ち着きが感じられる。

また唇に唇を重ねてきた。わたしは腐臭のする唾液を吞み込みながら思う。これはただのキスじゃない。口でセックスをしているみたいだ。今わたしと一緒にいる生き物は、そういうふうにしか性交ができないのだから。それが終わると、イスマエルは浴室に行き、いつものように丁寧に歯茎の掃除を始め、それで少しわたしもほっとした。彼は葉緑素入りのガムを二枚嚙んでからベッドに入った。彼のキスはさっきほど粘着質でなく、臭いが漏れないよう口を開けずに続けた。わたしはつい、もう熱はないのに歯茎がいっこうによくならないのだから、どうしてさっさと引き上げずにここでぐずぐずしているのかと問いただしそうになったが、そのときふと、残りの休暇の様子が頭に浮かんだ。イスマエルはそばにおらず、一人でティマンファヤを散歩しているわたし。今二人がしたことについては深く考えなかった。それはまるで、中身を忘れてしまって結論のわからない悪夢を見たシエスタのようだった。ただ感覚の中をふわふわと漂っている、わたしがしているのはそれだった。ランサローテ島に滞在し、気晴らしをしながら漂っている。

翌日はティマンファヤ国立公園には行かなかった。貝殻を見つけたくなかったのだ。公園に足を踏み入れたら、ついかがみ込んで土を掘り返さずにいられないとわかっていた。今までのように穏やかな心持ちで火山地帯を歩けないのが残念だった。散歩にはちゃんと意味があった。火山岩にわたしの肺を拡張させ、そうして大地と自分の臓器を交わらせて初めて、わたしは呼吸ができるようになっていたのだ。ラ・ヘリアという集落で赤ワインを一杯飲み、居酒屋の女主人にじろじろ見られながら、ブドウの木が育つ馬蹄型の壁のあいだを散歩した。肥料として撒かれた灰が明るい色のフィルムのように土を覆い、その中から株が伸びて緑の葉が繁っている。ワインを一本買ったとき、そういえばこの島に来てから何も土産物を買っていないと気づいた。ラ・ヘリアからアソマーダへ向かい、二月にしてはきつい陽ざしの下、しばらくぶらぶらと歩いた。真っ白な壁の家々のあいだを通りながら、中の涼しさを思って羨ましくなる。混じりけのない直射日光がわたしの神経系を心地よく刺激し、命を与えてくれる。実際にはそこでの暮らしはもっと憂鬱なものだろうし、でもそういうところも好ましい。ガイドブックを取り出し、もう少し都会的な村、サン・バルトロメーをめざすことにする。午後の残りはそこで過ごし、伝統衣装に身を包んだ地元の人々が守護聖人像を礼拝堂から礼拝堂へと運ぶ姿を眺めた。観光客はわたしだけだった。夜になってホテルに戻ったとき、イスマエルの目がまた昆虫のそれに似ていたかどうかは、暗すぎてわからなかった。冷蔵庫からワインの小瓶を取り出す。たちまちまわりに水滴がつく。わたしはサン・バルトロメーでソーセージ《エンプティード》を手に入れていたので、こう言った。

「夕食はここで食べよう」

ラ・ヘリアで買ったワインをのんびり飲みながら、ベッドに腰かけて食事をした。窓を開け、テレビは消した。暑かったし、室内にはイスマエルの口臭がたち込めていた。テレビをつけなかったのは、何を観ればいいのか知りようがなかったからだ。イスマエルは将来的な結婚式のプランについて話した。たしかに〃口《ボカ》〃ではなく〃結婚式《ボダ》〃と言ったけれど、わたしの頭はあくまで口のことを話していると理解しようとし、そしてまた、偽結婚式のことを考えると落ち着かない気分になった。わたしが不安になったのは結婚式が偽物だったからではなく、遠い昔の出来事のように思え、ひいては何もやらなかったような気さえしたからだ。唯一の現実は口であり、イスマエルが話している結婚式のプランが、わたしには、歯茎に埋まった食べかすを処理する方法を調べようとしてネットで知った、正しい口腔衛生のための詳しい指導法のように聞こえた。「でも、もう一つ話しておきたいことがある」彼はそう続け、何だろうとわたしに考える暇も与えず、一気にこう告白した。「僕は今、虫に変身しつつある」わたしは思わず噴き出し、イスマエルも一緒に笑ったけれど、話は続けた。「臼歯にかぶさっているのは、歯肉だけじゃないんだ、じつは」テーブルランプのそばに腰を下ろし、口を開けて言った。「見てごらん」わたしがランプをほとんど口の中に突っ込まんばかりに近づけたので、彼の頬が影になった。たしかに、粘膜の庇の下にあるのは、イスマエルが取りきれなかった食べかすで惨めに汚れた臼歯だけではなかった。そこには、甲虫の硬い外皮を思わせる別の種類の組織があった。わたしは息を止めた。今日の口臭は特別ひどく、鼻ではなく舌に染み込んできたかのように味蕾を刺激した。前日の経験のおかげで吐き気には慣れた。

「これはきっと結晶化した食物ね」それは大真面目に言った言葉で、とっさに発明した〝結晶化した食物〟という表現も、生まれたときから使っていたかのようにさらりと口にした。

わたしが恐ろしかったのは、彼が虫に変身していると信じたことではなく、わたしが自分の言葉を普通に受け入れたことだった。わたしたちはたがいを見つめ、同じ恐怖を感じていると知った。イスマエルが言った。

「まあ、あまり深く考えないほうがいい」

考えることなんて何もない、爛れた歯茎について情報をかき集めるためにあなたがどんなにネットにかじりついても、わたしたちの疑問の答えはウィキペディアにもどこのウェブサイトにもないのよ、と言いたかった。たぶん、自分が昆虫に変身しつつあるという仮説も、徹底的にネット検索をした結果だろう。イスマエルはどんなことでも軽々しく結論を出したりしない。

「僕にとって今大切なことは、君と本当に結婚する《カサールメ》ことなんだ」彼はきっぱり言い、もはやそこには、わたしが〝口《ボカ》〟として理解できる〝結婚式《ボダ》〟という言葉はなかった。

「前回口に問題が起きたときには」それでもわたしはこう答えた。「アイスクリームを食べたら落ち着いたよね。忘れた？　冷やせば炎症は治まるのよ。歯医者さんもそう言ったでしょう？」

「そんなこと、今話してない」彼は言い返してきた。

わたしはおとなしく引き下がった。彼はランプから身を引いた。すでにデザートを食べていたし、ミニバーにあった酒でクーバリブレを作っていたけれど、彼が冷蔵庫からタッパーを取り出した。イスマエルは何かと考え込む性分なので、いつも最初はためらってぐずぐずするのに、動作にそういう感じがなくなっていた。冷蔵庫に近づいたときの彼の動きは、追いつめられたと感じるや、さっと逃げるゴキブリの敏捷さと似ていた。タッパーにはモホソースを添えた冷たいカサガイが入っていた。

「これ、どこで手に入れたの？」

「ランチの残りものだよ」

「散歩してくる」わたしはカサガイをすするはめになる前に言った。そして部屋を出るとき、彼を結婚式の計画とともにそこに置き去りにするのだとわかった。

通りのアスファルトはあちこちぼろぼろだった。裸足で何分ぐらい歩いたのかわからないけれど、小石で足に引っかき傷ができているのも気づかなかった。いつも朝食を食べるバルが開いていて、朝は目に入らなかった、壁の半分ぐらいを占めているテレビ画面には、スティーヴン・セガールの映画が音を消したまま流されていた。店員に挨拶され、なんとなく決まりが悪かった。本当はわたしだと気づいてほしくなかった。朝、海で泳いだあとそこに来るときには、サングラスにパレオ、髪はおだんごという格好だ。今彼がわたしだとわかったということは、きちんと服を着ていても、海から出たばかりで顔を塩だらけにし、いい加減な髪形でいても、たいして変わらないということだ。身支度しても無意味なんだとかりかりしながら座った。ショーケースの中にカサガイがあり、その晩三杯目のお酒を飲むつもりだったものの、貝を見たとたんに食欲が湧いてきた。もう何日もよく眠れず、食欲もなかったことに、突然気づいた。それに、アレシフェには行かずにホテルに籠っていたとしても、イスマエルが悪いわけではなかった。

「カサガイをお願い」わたしは店員に言った。

「すごくおいしいですよ」彼は応じた。

店員は冷蔵ケースから生の貝が載ったトレーを出し、調理場に姿を消した。貝の用意を待つあいだ、わたしが眺めていたのは穏やかな海ではなく、ショーケースの中で冬眠しているかのような無数の蝿だった。あの蝿たちは冷蔵されているに違いない。イスマエルと同じだ。というか、カサガイをバクテリアから守るために冷やすその同じ温度でイスマエルも冷やしたらどうだろう。その蝿たちは冷やされて動かないのか、ただ死んでいるだけなのかわからなかったけれど。もし死んでいるのだとしたら、そうしてガラスにくっついて離れないのは、ショーケースのべたべたした汚れのせいだろう。蠅はガラスにとまったが、汚れに肢をとられて動けなくなったのだ。カサガイは蠅の死骸やイスマエルの病気と共存していたにもかかわらず、わたしはむかむかすることもなく、トレーに載ったそれを平気でたいらげ、コーンにのせたバニラと苺のアイスクリームを大量に買って店を出た。それはわたしの仮の夫の好物だった。アイスが溶けたらいやなのでホテルまで走ったけれど、イスマエルはわたしが抱えているものを見て、ビュッフェから持ってくればただなんだから、よっぽど安上がりだったのに、と言った。

「食べて」イスマエルの言葉は無視してそう告げ、彼が炎症を起こしている場所でアイスクリームを齧るように見張った。口臭がバニラと苺のやさしい香りと混じり合うにつれ、わたしたちの中の何かがほどけていくのを感じた。わたしも、そしてイスマエルも、尋ねなかった。なぜエクストラストロング・ミントの粒ガムにも、口臭専用の葉緑素入り板ガムにも、マウスウォッシュにも、同じ効果が見られなかったのか。

しばらくして、わたしは彼に歯茎の腫れを見せてと頼んだ。奇妙な外皮は溶けないアイスクリームに覆われている。アイスは唾液とも混ざり合わず、ちょうど冷蔵ケースの蠅のように、分解プロセスのあいだも形を保つ方法を知っているのだ。わたしは勝利感に満たされ、それはイスマエルも同じだったと思う。一日も欠かさずアイスクリームを食べなければならないし、効果はつかのまだとわかっていたとはいえ。翌日は昼食のあとチョコレートとヘーゼルナッツのカップアイスクリームを食べ、それから思いきってティマンファヤ国立公園にまた向かい、土を掘り返して貝殻を探した。その日は今までより暑く、大地は固く閉じているように見え、何もかもが郷愁に染まり、貝殻があったはずのところには、以前わたしが掘り返した土はあっても、何も見つからなかった。わたしは丘に寝そべり、大地に耳を押しつけ、イスマエルの結婚プランについて、凶兆を現実にすることについて、初めて本気で考えた。わたしは穏やかな静けさが自分を覆っていくのを感じた。

占い師

La adivina

〈あるお客様にタロット占いをしていたときに、あなたがカードに現れました。何を意味するのか、わたしにはわかりません。どうかお電話を。8034550930〉

彼女はカフェ〈ビエナ・カペリャーネス〉で朝食を食べていた。今正面に座っている男は、オレンジジュースとカフェ・コン・レチェを交互に飲んでいる（きっちり順番に飲んでいるのだが、味の面で何か効果があるのか、はたまた健康のためなのか）。占い師のところに来ていた客というのは、もしかしてその男だろうかと考える。実際にはそう考えたわけではなく、占い師からのメッセージを、最初に目に入った人にただ重ね合わせただけだ。そしてその男は彼女のことを何度も、それもじっと見ていた。もちろん、そんなふうに男が彼女を見るのは、こちらが先に彼を見つめていたからで、そうやっておたがいに、なぜあの人はじろじろ自分を見ているのか答えを出そうとしているだけかもしれない。結論を出すには、次なる行動が必要だろう。たとえば男がこのテーブルに近づいてきて、「占い師のところに行ったのですが、朝食の最中に誰かと出会うと言われたんです」と言うとか。男が立ち上がった。ジュースが少し底に残っている。男はカウンターで支払いをすませ、フエンカラル通りに姿を消した。

〈小旅行の様子が見え、そこでいろいろなことがはっきりするようです。今すぐ一緒に確かめたほうがいい。どうかお電話を。803455０930〉

彼女は車のエンジンをかけ、マドリードを出発した。小旅行って、もしかしてこのことかも。とはいえ、あんなメッセージにまともに取り合うつもりはないけれど。どうせ何かの機械が勝手に送りつけているんだろうし（自分と同じような境遇の人間、運に見放されたミドルクラスの女なら、そう思うに決まっているでしょう?）。とにかく、まともに取り合うつもりもないし、そういう迷信のたぐいがまったくありえないような可能性を、そう、たとえば自分の場合なら、神様は本当にいると信じられるようになるとか、そういう可能性をこじ開けるなんて、認めるつもりもない。可能性をこじ開けることは、プライドを捨てることと等しい。想像力やら欲望やらを認めれば、こじ開けた穴が思った以上に大きくなって、何かがそこから始まるだろう。たとえば、今みたいに車を運転し、エル・エスコリアルを通過してサルサレホまで北上したところで、山裾から下りてきた濃い霧で道路がはっきり見えなくなり、そこで車を停める、みたいなことが。行く先を決めずに車を出すなんて、久しぶりだった。以前そういうことを何度かしたときはその時々の彼氏が一緒で、彼らが運転してくれるからそのほうがありがたかった。ぼんやり考え事をしたいなら、運転に注意を払う必要がないほうが好ましい。小旅行に出かけると、いろいろなことがはっきりする、か。これがその小旅行？　どこまで行けば、どれぐらいその場所に滞在すれば、すなわちその小旅行ということになるの？　それでどんなことがはっきりするわけ？　サルサレホのバルで、ストーブの横でカフェイン抜きのコーヒーを前に、ノートを開いてボールペンを手に座っている。ここにリストアップしたたくさんのことはみんな、はっきりさせなければならないことだけれど、どれもあの占い師のメッセージがほのめかすような緊急性はない。あのメッセージからすると、解決を先延ばしできない問題という感じだった。たとえば、共同経営者を見つけるのをあきらめて、自分一人で出版サービス会社を立ち上げる、とか。でも、ノートに書き連ねたのはその種の問題ではなく、もっと曖昧な、昔から続いているようなことで、誰かが、たぶん彼女自身が、そんなの自然な事の成り行きだとか、単なる惰性だとか言いたくなるたぐいの問題だ。やがて、子供の頃の家の薄暗い居間が思い浮かぶ。何時間もつけっぱなしのテレビ、暴力的なほど気だるい倦怠。テレビの前でぐったりしている二人の人物。やがて月曜の朝が来て、いらだたしいほどの静けさのあと、二人はそれぞれ仕事に行き、帰ってきたときにはリフレッシュしていて、二人を暗い深淵から遠ざける、没頭できる別の何かを手にしており、テレビの前のソファーで夜の十時から十二時までうだうだするのはただ休息しているだけで、翌日また仕事に飛び出していくまでの活動休止期間という建前ができた。ときにはソファーを避ける週末もあった。フォルクスワーゲン・パサートに乗り込み、あちこち遠出をした。それは現実逃避し、ほかの現実を眺める心地のいい手段だった。娘である彼女は、ウォークマンを持って後部座席に行った。そこは彼女だけの場所でもあった。

でも疑問なのは、メッセージをランダムに送っているコンピューターがなぜ自分の電話番号を持っているのか、ということだ。

そして、もし彼女のほうから男のテーブルに近づいて、自分のメールアドレスをメモした紙を渡していたとしたら？

〈あなたのことをタロットで占うと、いつも三人の女性の争いが示されます。そのうち一人が降参するでしょう。どうかお電話を。８０３４５５０９３０〉

ソエはブロンドだ。初めて彼女と会ったとき、もっといい感じの色に染めればいいのにと思った。ちょっと汚らしい暗い灰色がかったブロンドで、電球か蛍光ペンみたいなある種の女性にしか似合わないヒステリックな金髪もどうかと思うけれど、それ以上に見栄えが悪い。顔はクリームの塗りすぎでてかてか光っていて、服はつねに茶色からベージュのあいだのグラデーションだ。茶色の女。いつもロマンス小説を読み、ソエという名前がまるで似合わないその女は、この最悪の仕事を引き受けた彼女の前で、校正を担当している。この半年、記事を書く仕事があまりなくて、友人から、エクセルにカタログを入力する長期の奨学生向けアルバイトをまもなく辞めるんだけど、どう？　と紹介された。エクセルは大嫌いだけれど、毎日二時間、火曜から木曜までの勤務で、月に三百ユーロになる。この最悪の仕事で、時給十二・五ユーロ。もっと低賃金の仕事はあるんだから、ちっとも最低なんかじゃないと言う人も多いが、彼女にとっては最低だった。ソエのデスクは彼女のパソコンの正面にあり、彼女はそのパソコンのエクセルに、行を間違えたり作品を飛ばしたりしないようにしながら、カタログを打ち込んでいく。カタログに載っている作品の半分は自費出版で、もう半分は助成金によるものだ。著者の大部分は男性だった。七十歳以上の地元の有力者だとか元大学教授。たとえば例を挙げてみると、『黄昏のオリーブの老木』という題名の本は、一九三七年生まれのハエン出身のベルナベ・ゴメスという、ハエンの高校で教員をしていた人物が著したものだ。その本にはトレドンヒメノ市が助成金を出している。

ソエは物知りな校正者だ。辞書編纂者マヌエル・セコの著書や文法の辞書『パンイスパニコ・デ・ドゥダス』のさわりを暗唱できたりする。右側に助手の校正者、マリーア・イサベルが座っている。髪は茶色く、小太りで、日曜朝の整然としたエストレーリャ地区の教会を思わせる服装をしている。やはり読むのはロマンス小説だ。勤務時間中、二人はマドリード・コンプルテンセ大学やマドリード自治大学の引退した哲学教授やら、故郷の樫の木の下で憂鬱や郷愁について語る詩人やらの本のゲラ刷りを校正する。そして地下鉄で帰宅すると、お気に入りのロマンス小説を読む。ソエは誤植を見つける天才だ。「寝る前に時間さえあれば」とわたしに言う。「誤植がありましたけど、と編集者に手紙を書きたいわ」マリーア・イサベルは動作がのろく不器用で、いつも不機嫌な顔をしている。新しいエクセル入力担当者をこき下ろすネタ探しに躍起になっているのは彼女だった。「前の男の子はもっと面白かったわ」ある日マリーア・イサベルはそう言った。「恋人の話をしてくれて、わたしたちがあれこれアドバイスした」彼女はお義理でにっこりした。自分はソエとマリーア・イサベルにとって退屈だとわかっていた。二人には何も話さなかった。無言で出勤し、わからないことを教えてもらうとき以外、一言も発しない。彼女が二人をどう思っているかは、オフィスにいるあいだの不愛想な表情や態度で伝わっているはずだった。でも、マネージャーに対しては違う態度をとる。彼女は唯一、きちんと退職金が出る契約で雇われている社員だ。彼女はロマンス小説を読まない。たぶん読書そのものをしない。髪はショートカットで背が高く、どきっとするやや男性的な声をしており、修道女のような服装だ。カトリック系のテレシアーナ協会に所属しているのか尋ねてみようかと思ったけれど、むっとされたらいやなので思い留まった。名前をパスといい、マリーア・イサベルが彼女のことを非難したときも冷静に受け止めていた。〝非難〟というと少々言い過ぎで、〝告げ口〟と言い換えたほうがいいかもしれない。マリーア・イサベルは、彼女の請求書に、月に二十四時間の勤務に対し三百ユーロとあったんですけど、と告げ口したのだ。「あの新人、わたしたちに羊頭を掲げて狗肉を売ってるんです」彼女の出勤前に、マリーア・イサベルはマネージャーや上司にそう訴えたらしい。彼女がパソコンのスイッチを入れたとき、マリーア・イサベルはわざわざデスクまで来て、こう言い放った。

「あんたの請求書、でたらめよね。二百ユーロ分の仕事なのに、三百ユーロももらってるなんて。あたしより時給が高いのよ」

彼女は自分のしていることが時給三百ユーロではなく二百ユーロの仕事だったなんて知らなかった。誤解です、と彼女は言ったが、それは嘘ではなかった。マリーア・イサベルには、この奨学生のほうが自分より時給が高いという事実が、覆せない理不尽な判決のように思えたらしい。マリーア・イサベルは社員なので、自分で社会保障費を払う必要もないというのに。もしこの最低の仕事が唯一の収入源だとしたら、そういう支払いさえできないでしょうね、と彼女は思う。それでも彼女は後ろめたさを覚えた。こうなると、マリーア・イサベルはずっと不機嫌な顔をしているれっきとした口実ができたわけだし、ソエも彼女を不信感の滲む目で見るようになった。二人とも、罪をなすりつけられたお人よしより、これまでは嫌っていた自分を搾取する経営者側に、味方するつもりらしい。パスだけはいつもと変わらず、何を考えているのかよくわからなかった。彼女のことをやはりよく思っていないのかもしれないが、表には出さない。純粋に興味がないだけかもしれない。

もう数週間仕事を続けたが、それで辞めると告げた。最後の請求額は百ユーロだった。

あなたのことをタロットで占うと、いつも三人の女性の争いが示されます。そのうち一人が降参するでしょう。

降参したのは彼女だった。

ほかにも似たような問題はないかとあれこれ考えてみたけれど、一致しそうなものはなかった。

従姉妹のあいだのちょっとしたやきもちとか。

あるいはちっぽけな裏切り行為とか。友人が、彼女が信用して打ち明けたことを第三者に漏らし、秘密を胸にしまっておけないやつだったんだとわかった出来事。

薄暗い居間から逃げ出した、両親と彼女。

自分は例の占い師のメッセージを通じて、小旅行のときと同じことをしているのだろうか？たしかに小旅行は彼女の人生の物語にぴたりとはまった。今回はあのときに比べればわずかだとはいえ、また過去の記憶に新たな意味を与えようとしている？

〈必死の思いであなたのために泣くものが、夜も昼もなく見えます。あなたがわたしを信じていないことはもうわかっています。どうかお電話を。８０３４５５０９３０〉

これまで付き合ってきた相手の中に、彼女のために必死の思いで泣いたりするような男がいたか、探す気はなかった。たしかに、今度ばかりはそれが現実だったら、と考えないわけではなかったけれど、実際にはどの男ともよりを戻したいとは思わなかった。おばに会いに行き、わずか二か月前に亡くなったばかりの祖母の家の鍵を貸してもらった。ゴールデンレトリーバーの子犬を買い、一緒に車に乗せて、祖母の家のある村に向かった。子犬は助手席で嬉しそうに尻尾を振り、ギアを変えるたびに彼女の手をぺろぺろ舐めた。なじみのある家に到着すると、ボウルに水を、別のボウルに餌を入れ、ある部屋に置いた。それから、今もまだ祖母が作っていたハムの脂身や塩の匂いがするその古い部屋に犬を入れ、一日そこに閉じ込めた。犬が出してとずっとキャンキャン訴え続けるので、彼女はほとんど眠れなかった。犬の鳴き声を聞きたくなくて、谷間をドライブした。樫の森の中を二時間散歩した。城の廃墟に登った。街道沿いのバルに三軒立ち寄った。夜は、学生時代以来一度も聴いていなかったバンドの音楽を大音量で流した。スレイヤー、クレイドル・オブ・フィルス、ブラック・サバス、シアター・オヴ・トラジディー。ときどき音楽を止めて、犬の遠吠えに耳を澄ました。それは二月の火曜日だった。家は一区画を丸々占めていたが、犬の鳴き声が通りまで届くとさすがに都合が悪かった。

とはいえ、この家からわめき声がするとおじたちに訴えるご近所さんはいないようだった。あの部屋は屋敷の奥のほうにあるからだ。午前四時、鳴き声がまたか細くなったとき、部屋に入ったら犬は死んでいるかもしれないと彼女は思った。さらにビールを飲み、陽がだいぶ高く昇るまで音楽の音量をもう下げなかった。あの部屋に続く階段をのぼったときにはすっかり酔っぱらっていて、もう何も怖くなかった。ドアを開けたとたん、犬がこちらに走ってきた。まだ尻尾を振っているが、元気がないように見える。でも混乱しているだけなのかもしれない。餌を吐いてしまっていて、ぶるぶる震えていた。

〈奇跡も予言の力も存在します。でも、嘘つきのペテン師も大勢います。あなたに本物のタロット占いを提供いたします。どうかお電話を。8034550930〉

最後のメッセージが、単に予言力を信じろという内容だったので、驚いた。そのメッセージに何を期待していたわけでもないし、今までだって期待したことはなかったけれど、とはいえ妙にそれらが自分に当てはまったのは確かだった。でもそれはメッセージが彼女の状況に適応したから、あるいは適応するような状況を彼女に作らせたからだけでなく、メッセージそのものが抱える不安の影がそこに表れていたからでもある。その影は彼女自身の不安の影を思い出させた。それは都市郊外の高速道路でのワンシーンみたいなものだ。時は夜で、雨風が強い。そこに幼い頃の彼女の恐怖がある。子供のとき、車の後部座席で膝立ちになり、雨が落ちるリアウィンドウを眺めていた。雨粒はワイパーですぐに拭われ、すると後続の車の姿がくっきりと現れるけれど、それはほんの数秒のことで、雨がまた溶かしてしまう。光に縁どられた闇へと広がるその滲んだ影の中にこそ彼女の恐怖が潜んでいて、彼女はそこから目を離すことができない。当時子供はシートベルトをつける義務がなく、道路は二車線しかなかったうえ、ひどく舗装が悪いせいか、距離がやけに長く感じられた。でもとにかく言いたいことは、彼女の携帯電話に定期的に届く予言のメッセージには、それそのものの不安の影が表れていたということだ。そして、この最後のメッセージは、彼女がここ数か月間、そうではないかと予感していたことと、指輪のようにぴたりとはまった。彼女がわずかなりとも信じる気持ちを、あるいは今までどおりちょっと楽しんでやろうという気持ちさえ捨てると、とたんに奇跡のように、メッセージを受け取るのだ。まるで不実な恋人の最後の約束みたいに。もう二度としないと誓うからさ。奇跡も予言の力も存在する。

謝辞

熱心に作品を読み、アドバイスをしてくれた、ルベン・バスティーダ、マリーア・リンチ、レカレド・ベレーダス、アルベルト・オルモスに感謝を。レシデンシア・デ・アルティスタス・ロキサールに滞在した時間にも感謝する。

短篇「兎の島」は、真の発明家であるサンチョ・アルナルに捧げる。

訳者あとがき

マリアーナ・エンリケス、ピラール・キンタナ、サマンタ・シュウェブリン、フェルナンダ・メルチョール、グアダルーペ・ネッテル――今、スペイン語圏では女性作家の躍進が目覚ましい。父権社会その他の圧迫から来る不安や恐怖を赤裸々に描くことで、静かに狼煙を上げようとしているかのようだ。今回日本で初めて紹介するスペインの新進作家エルビラ・ナバロもその一人に数えられるだろう。

本書『兎の島』(*La isla de los conejos*)は、ナバロの初めての短篇集として二〇一九年にスペインのランダムハウス社から出版された。批評家・読者いずれにも好評をもって迎えられ、二〇二〇年に第二十六回アンダルシア批評家賞短篇賞を受賞、スペイン大手新聞『エル・パイス』紙の二〇一九年度ベスト一〇冊に選ばれた。また、スペイン国内のみならず国際的にも『兎の島』は高く評価され、二〇二一年二月にアメリカで英訳版(英題 *Rabbit Island*)が出版されると、二〇二一年度全米図書賞翻訳文学部門のロングリストに選出された。ナバロの作品は英語のほか、フランス語、イタリア語、トルコ語などにも翻訳されている。

アメリカでの出版後、大手オンライン文芸批評紙『シカゴ・レビュー・オブ・ブックス』は、本書はまさに文芸評論家ツヴェタン・トドロフが定義するところの、現実と超自然の境界が曖昧で読者に「ためらい」を与える〈幻想文学《ファンタスティック》〉である、と評した。実際、ここに収録された十一の短篇のどれを読んでも、どこまでが登場人物の妄想で、どこまでが現実なのか、あるいは超自然なのかわからなくなり、ぐらりと足元が揺らぐような恐怖を覚える。そして読者は、先の見えない茫漠とした不安に駆られる。『エル・パイス』紙のインタビューでは、ナバロ本人が「日常の現実にほんのわずかな不安が入り込むだけで、そこに恐怖が立ち現れる」と語っている。

本作全体を貫くのは、そうした現実と超自然という〝内と外〟の曖昧さのほかに、シュールレアリスティックな状況から醸し出される不安と恐怖だろう。イスラーム圏へ旅立った女性作家の片耳から肢が生え出す「ストリキニーネ」、川の中洲の小島に持ち込んだ兎たちが異様に変容していく「兎の島」、親友の祖母が宙に浮かんでいた記憶をたどる「後戻り」、象皮病を患う大公の前に太古に絶滅したはずの生き物が現れる「ミオトラグス」、建築を学ぶ「彼」と精神を病んだ兄との奇妙で謎めいた交流を描く「冥界様式建築に関する覚書」、ホテルで住み込みの料理人として働く女性がホテルを訪れる他人の夢を見るようになる「最上階の部屋」、死んだ母からフェイスブックの友達申請が来る「メモリアル」、未来を言い当てる占いが携帯電話に勝手に届く「占い師」など、どの作品でも、あまり多くを説明しないシンプルな文体ながら、どこか迷宮的な筆致で胸のざわつく状況が語られていき、読者はいつしか思いもかけないところへ連れていかれ、愕然とする。

しかしその奥にあるのは、ひしひしと身に迫ってくるような現実的な不安だ。「ヘラルドの手紙」では、「わたし」は支配的な恋人の洗脳から逃れようとし、「パリ近郊《ペリフェリー》」では、あるはずの建物がない恐怖に現実の人間関係の不安定さが重なり、「メモリアル」では束縛と紙一重の母親の愛が、「歯茎」では結婚という概念を前に迷う「わたし」の心の残酷な変化が描かれる。

本作を翻訳することが決まった少し後の二〇二一年十一月、駐日欧州連合代表部とEU加盟国が主催して、各国のさまざまな文芸作品を紹介する第五回ヨーロッパ文芸フェスティバルが開催され、ここで著者のナバロ氏ご本人からお話をうかがう機会を得たのは僥倖だった。その折に本書について率直なところをいろいろと語っていただき、腑に落ちたことがたくさんあったので、ここで紹介したい。

まず、そのシュールな作風から書評などでカフカと比較されることについて、著者自身はその評価に違和感があると話す。カフカの作品は、外的圧力によって登場人物の思考停止が起き、現実からしだいに離れていく。しかし自分の場合、みずからの内的崩壊が現実からの乖離を引き起こすという。そもそも本書に収録された短篇の多くは、その前に上梓した長篇作品のプロモーションツアーでさまざまな土地に行き、ホテルを転々とする毎日を送るうちに、見知らぬ土地での圧倒的な不安と孤独の中で自然と生まれたものだった（最も古い「パリ近郊《ペリフェリー》」は二〇〇〇年、「ヘラルドの手紙」が二〇〇九年、「歯茎」が二〇一三年、それ以外は二〇一四年から二〇一六年のあいだに書かれ、短篇集に収めるにあたり加筆修正し、なかには一から書き直したものもあるという）。よるべのない状況にあって、自分のコンテクストからいやでもはずれていく恐怖、その疎外感を表現せずにはいられなかったと話す。ラストで唐突にステージが終わるような印象を受ける作品がいくつかあって、面白いと思ったのだが、もしかするとある土地から別の土地へ移動するその位相の変化が表れているのではないか、とそのとき気づいた。

実際、各作品はいろいろな土地が舞台になっており、それがどこか明記されている場合もあるが、されていない場合もある。いずれにしても、そこが〝ここではないどこか〟のように感じられるのは、現実からの乖離が起きているからだろう。ちなみに、作品の舞台がどこかはっきり書かれていなくても、よくよく読むとあちらこちらにヒントが隠されていて、なんとなくわかる。そうして謎解きのように読むのも一興かもしれない。

またもう一つ興味深かったのは、ナバロ氏に言わせると、作家には地図を持って書く人と、羅針盤を持って書く人の二種類があって、彼女は目的地のはっきりしている前者ではなく、方向しか決まっていない後者で、自分でも書きながらどんな物語になるかわからないのだという。展開の意外性はそういうところから生まれるのかもしれないと思い、膝を打った。じつは訳者はこの当時、たまたま小山田浩子氏の小説を立て続けに読んでいて、本書と共鳴し合って怖いくらいだった。モチーフに不思議と共通点が多いし（風呂場にびっしりついた虫や大きな川と奇妙な鳥、出版校正者など）、その不穏さやシュールさにも通じ合うところがある。小山田氏自身、「終わり方は最後までわからないし、終わらないこともあって」と話していて（カタリココ文庫『嘘がつけない人　対談と掌篇　小山田浩子＋大竹昭子』より）、もしかすると、やはり羅針盤を持って書く方なのかもしれないと考えたりした。

著者エルビラ・ナバロは、一九七八年、スペイン南部アンダルシア州ウエルバに生まれた。

マドリード・コンプルテンセ大学で哲学を学ぶが、テレビドラマやペドロ・アルモドーバルの映画でマドリードに憧れていたナバロにとって、首都に移り住んだことは大きな転機だったという。二〇〇四年にはマドリード市若手作家コンクールに応募した短篇「贖罪」（expiación）で最優秀賞を獲得する。女性作家専門の文芸サイトescritoras.comの二〇一四年のインタビューでは、「マドリードを心から愛していて、マドリードにしろほかの土地にしろ、街や場所の空間性が書くという行為のインスピレーションになる」と話している。この言葉にも、本書の各短篇が生まれた動機が隠れていそうだ。

二〇〇七年に初めての長篇『冬の街』（*La ciudad en invierno*）を出版、二〇〇九年に上梓した二冊目の長篇で、前作の続篇である『幸福の街』（*La ciudad feliz*）が第二十五回ハエン文学賞と第四回トルメンタ賞最優秀新人作家賞を受賞し、日刊紙『プブリコ』が選ぶ年間ベストブックの一冊に選ばれた。二〇一〇年には、イギリス最大の文芸誌『グランタ』で、三十五歳以下のスペイン語圏作家ベスト二十二の一人にも選出されている。二〇一四年の長篇『働く女』（*La trabajadora*）では、精神疾患を持つ同居する友人の妄想にみずからも取り込まれ、やがて精神に変調をきたしていく女性を描き、ここでも〝内と外〟の曖昧さがテーマの一つになっている。

さらに次の二〇一六年の長篇『アデライダ・ガルシア＝モラレス最後の日々』（*Los últimos días*

de Adelaida García Morales）では、映画『エル・スール』の原作（邦訳『エル・スール』野谷文昭・熊倉靖子訳、二〇〇九年、インスクリプト）などで知られるスペインの作家アデライダ・ガルシア＝モラレスの晩年を描いたが、彼女のかつての夫であり、『エル・スール』を監督した映画監督ビクトル・エリセが元妻を陳腐な存在に貶めたとして、『エル・パイス』紙でこの作品を痛烈に批判した。これは、ナバロだけでなくほかの作家たちも巻き込んで、フィクションと現実の境界をめぐってかなりの論争となった。「エリセ氏はフィクションと現実を混同していたと思う。まあ、その話は今はよしましょう」と最近のインタビューでもナバロは語っている。やはり〝境界〟の話は今後もナバロのテーマとなってきそうだ。

ナバロはほかにも『エル・クルトゥラル』誌や『エル・パイス』紙、『プブリコ』紙などさまざまなメディアにエッセーや論説を積極的に発表しているほか、書評もおこなっている。二〇一五年にはカバーヨ・デ・トロヤ社で文学シリーズの編集にも携わった。また、後進にクリエイティブ・ライティングも教えている。

前述のヨーロッパ文芸フェスティバルで今後の予定についてうかがうと、今は『働く女』のようなもう少しリアリスティックな長篇を書いているということで、都市としてのマドリードでの生活について綴っていたブログ「郊外」（*Periferia*）をもとにしたフィクションだという。

また、本書に続く幻想短篇集の構想もあるそうなので、いずれも楽しみに待ちたい。

最後になったが、本書はスペイン大使館が毎年おこなっている、スペイン語圏の書籍を日本に紹介する企画〈New Spanish Books〉にて、本書のレジュメに国書刊行会編集部の伊藤昂大さんが目を留めてくださったことから日本での出版が決まった。思いがけずこの奇妙で不穏で恐ろしい短篇集の翻訳に携わることができて、心から嬉しく思っている。この場を借りて、関係者のみなさまにお礼を申し上げます。また、訳者の細かい質問に丁寧にお答えくださった著者のナバロ氏にも感謝いたします。

じつは、〝不安や恐怖〟をキーワードとした、気鋭のスペイン語圏女性作家の作品を、この後も何冊か企画している。本書で興味を持ってくださった方は、ぜひ手に取っていただけたら幸いである。

二〇二二年五月

宮﨑 真紀

エルビラ・ナバロ
Elvira Navarro

作家。1978年スペイン南部アンダルシア州ウエルバ生まれ。マドリード・コンプルテンセ大学で哲学を修めた後、2004年にマドリード市若手作家コンテストで最優秀賞を獲得。2007年に長篇『冬の街』でデビュー。2009年に『幸福の街』で第25回ハエン文学賞、第4回トルメンタ賞最優秀新人作家賞を受賞。2010年には英国最大の文芸誌『グランタ』が選ぶ「35歳以下のスペイン語圏作家ベスト22」の一人に選出。2014年に『働く女』、2016年に『アデライダ・ガルシア＝モラレス最後の日々』を刊行。2019年に刊行した短篇集『兎の島』は、第26回アンダルシア批評家賞短篇賞を受賞。2021年に英訳が刊行され大きな話題を呼び、同年の全米図書賞翻訳文学部門のロングリストにも選出された。長篇はリアリスティックな作品が多い一方で、短篇では、日常の現実に、奇怪でシュールリアリスティックな非現実が侵食する不安と恐怖をおもに描く。

宮﨑真紀
みやざきまき

スペイン語圏文学・英米文学翻訳家。東京外国語大学外国語学部スペイン語学科卒業。最近の訳書に、ポー、ラヴクラフト、ギルマン他『怖い家』（エクスナレッジ）、カルメン・モラ『花嫁殺し』（ハーパーコリンズ・ジャパン）、ジョルジャ・リープ『プロジェクト・ファザーフッド　アメリカで最も凶悪な街で「父」になること』（晶文社）、スザンナ・キャハラン『なりすまし　正気と狂気を揺るがす、精神病院潜入実験』（亜紀書房）、ガブリ・ローデナス『おばあちゃん、青い自転車で世界に出逢う』（小学館）、ビクトル・デル・アルボル『終焉の日』（東京創元社）などがある。

GOBIERNO DE ESPAÑA | MINISTERIO DE CULTURA Y DEPORTE

La traducción de esta obra ha recibido una ayuda del
Ministerio de Cultura y Deporte de España.
本書はスペイン文化スポーツ省からの翻訳助成を受けて刊行した。

兎《うさぎ》の島《しま》

エルビラ・ナバロ 著　　宮崎真紀 訳

2022年10月1日　初版第1刷　発行
ISBN　978-4-336-07363-1

発行者　佐藤今朝夫

発行所　株式会社国書刊行会

〒174-0056　東京都板橋区志村1-13-15
TEL 03-5970-7421　FAX 03-5970-7427
HP https://www.kokusho.co.jp　Mail info@kokusho.co.jp

印刷　中央精版印刷株式会社
製本　株式会社ブックアート
装丁　川名潤

雌犬

ピラール・キンタナ／村岡直子訳

子どもをあきらめたひとりの女が、一匹の雌犬を娘の代わりに
溺愛することから始まる、奇妙で濃密な愛憎劇。

2640円

記憶の図書館

ボルヘス対話集成

ホルヘ・ルイス・ボルヘス、オスバルド・フェラーリ／垂野創一郎訳

ポー、カフカ、フロベール、ダンテ、幻想文学、推理小説
——偏愛してやまない作家と作品をめぐる118の対話集。

7480円

コスタリカ伝説集

エリアス・セレドン編／山中和樹訳

中米コスタリカの伝説の数々を「土地の伝承」「宗教伝説」「怪異譚」の
三部構成で紹介した名著の本邦初訳。

3300円

パウリーナの思い出に

アドルフォ・ビオイ＝カサーレス／野村竜仁、高岡麻衣訳

幻影の土地に生まれた真の幻想作家の、
愛の幻想、もう一つの生、影と分身をめぐる本邦初の短篇集。

2640円

氷の城

タリアイ・ヴェーソス／朝田千惠、アンネ・ランデ・ペータス訳

幻想的な〈氷の城〉のもとでのふたりの少女の出会いと別れを描く、

ノルウェーの国民的作家ヴェーソスの代表作。

2640円

ブッチャー・ボーイ

パトリック・マッケイブ／矢口誠訳

少年の狂気と妄想と絶望を描く

アイルランド版〈ライ麦畑でつかまえて〉＋〈時計じかけのオレンジ〉。

2640円

ウィトゲンシュタインの愛人

デイヴィッド・マークソン／木原善彦訳

地上最後の一人の女性が、海辺の家で暮らしながら、

終末世界の「非日常的な日常」をタイプライターで書き綴る。

2640円

長距離漫画家の孤独

通常版

エイドリアン・トミネ／長澤あかね訳

洗練されたグラフィック・ノヴェルで知られる名手トミネが、

ユーモア溢れるほろ苦いタッチで描く傑作回想録。

3960円

近 刊 予 告

国書刊行会のスパニッシュ・ホラー文芸

（タイトルは仮題）

寝煙草の危険

Los peligros de fumar en la cama

マリアーナ・エンリケス／宮﨑真紀訳

2021年度国際ブッカー賞ショートリストノミネート作

†

救出の距離

Distancia de rescate

サマンタ・シュウェブリン／宮﨑真紀訳

2017年度シャーリイ・ジャクスン賞中編部門受賞作

Netflix『悪夢は苛む』（クラウディア・リョサ監督）原作

†

Coming Soon...